# Monsieur B.

# Boos tes neurones !

MARABOUT

Un livre édité par Annie Pastor

Conception graphique : Céline Julien
Conception couverture : Jef Cortes
Mise en couleur : Sophie Dumas

# BOOSTE TES NEURONES,
# MODE D'EMPLOI :

Rien de plus simple, il suffit de répondre juste
aux questions, tests et énigmes qui suivent.
Il y a 5 niveaux de difficulté croissante.

Un conseil : ne passez à l'étape supérieure
que lorsque vous aurez compris la logique
des questions et des réponses de chaque niveau.

Vous pouvez vous tester tout seul, mais c'est beaucoup
plus drôle si c'est votre partenaire qui vous interroge et
valide vos réponses, qui sont en fin d'ouvrage.

Après la série 5, vous pourrez vous essayer
aux extra-bonus, réservés à l'élite cérébrale.

Si vous y parvenez, jetez ce livre :
vous êtes bien au-dessus de ces pitoyables
petits problèmes...

NIVE

AU 1

# TEST 1

Un clochard peut faire une cigarette avec 3 mégots. Il a ramassé 10 mégots. Combien va-t-il pouvoir fumer de cigarettes ?

- ☐ 3 cigarettes
- ☐ 4 cigarettes
- ☐ 5 cigarettes
- ☐ 9 cigarettes

# TEST 2

Un glaçon fond dans un verre rempli d'eau à ras bord. Que se passe-t-il ?

- ☐ L'eau déborde du verre
- ☐ Le niveau d'eau diminue
- ☐ Le niveau ne change pas

# TEST 3

Un banquier à ses traders :
"Super boulot les gars, j'augmente
votre bonus de 20 % !".
Un mois plus tard : "C'est la crise
grave, je vous baisse de 20 % !"
"Bon, pas grave, retour à la case
départ !" se disent les traders.
**Et vous, qu'en pensez-vous ?**

☐ Ils ont moins
☐ Ils ont pareil
☐ Ils ont plus

# TEST 4

**Vous participez à une course à pied.
Vous doublez le second. En quelle
position arriverez-vous ?**

■ Premier
■ Deuxième
■ Troisième
■ Dernier

**Et si vous doublez
le dernier, en quelle
position arrivez-
vous ?**

## TEST 5

J'ai des billes, toutes sont rouges sauf deux, toutes sont vertes sauf deux, et toutes sont bleues sauf deux.
Combien de billes rouges, bleues, et vertes, je possède ?

[    ] rouges    [    ] vertes    [    ] bleues

## TEST 6

Il a neigé dans le champ de M. Arthur, et cela deux fois plus que dans celui de son voisin ! Comment est-ce possible ?

## TEST 7

Un nénuphar double sa surface chaque jour. Il couvre un bassin en 30 jours. Combien de jours mettront deux nénuphars identiques pour remplir ce bassin ?

☐ 15 jours
☐ 20 jours
☐ 29 jours
☐ 30 jours
☐ 60 jours

# TEST 8

1. **Combien de temps a duré la guerre de Cent Ans ?**

2. Où sont fabriqués les chapeaux Panama ?

3. En quel mois les Russes fêtent-ils la révolution d'Octobre ?

4. **De quoi est fait un pinceau en poil de chameau ?**

5. Les îles Canaries ont été nommées d'après quel animal ?

6. Quel est le prénom du roi George VI ?

7. **De quel pays proviennent les groseilles chinoises ?**

8. Quelle est la couleur de la boîte noire d'un avion de ligne ?

9. Combien de temps a duré la guerre de Trente Ans ?

## TEST 9

Trois Russes ont un frère commun. Quand ce frère meurt, les trois Russes n'ont alors plus de frère. Comment est-ce possible ?

## TEST 10

Prenez 1 000.
Ajoutez 40.
Ajoutez encore 1 000.
Ajoutez 30.
Encore 1 000.
Plus 20.
Plus 1 000.
Et plus 10.
**Quel est le total ?**

☐ 4 070
☐ 4 100
☐ 5 000
☐ 5 100

## TEST 11

**Une horloge sonne 6 heures en 5 secondes. Combien lui faut-il de temps pour sonner midi ?**

☐ **9 secondes**
☐ **10 secondes**
☐ **11 secondes**
☐ **12 secondes**

## TEST 12

À 50 km/h, vous allez d'Alençon à Argentan, distant de 50 km. Puis, à 100 km/h cette fois, vous allez d'Argentan à Caen, distant aussi de 50 km. Quelle a été votre vitesse moyenne ?

- ☐ 60 km/h
- ☐ 66 km/h
- ☐ 75 km/h
- ☐ 82 km/h

## TEST 13

Une bouteille et son bouchon coûtent ensemble 11 €. La bouteille coûte 10 € de plus que le bouchon. Combien coûte la bouteille ?

# TEST 14

## Testez vos connaissances en culture générale

**1. Quelle est la plus chère des épices ?**
☐ Le safran
☐ Le cumin
☐ L'estragon

**2. Que signifient les initiales P.S. à la fin d'une lettre ?**
☐ Pli suivi
☐ Post-scriptum
☐ Pour signataire

**3. Combien existe-t-il d'océans ?**
☐ 4
☐ 5
☐ 6

**4. Quel était le nom de Kinshasa avant l'indépendance du Congo belge ?**
☐ Stanleyville
☐ Léopoldville
☐ Brussilville

**5. Que signifie le T de T.Rex ?**
☐ Tarbosaure
☐ Torvosaure
☐ Tyrannosaure

**6. Dans quelle émission pour enfants rencontrait-on Nicolas et Pimprenelle ?**
☐ Bonne Nuit les petits
☐ Les Visiteurs du mercredi
☐ Le Manège enchanté

**7. Quelle Française fut la 1re présidente du Parlement européen ?**
☐ Édith Cresson
☐ Simone Veil
☐ Arlette Laguiller

**8. Que légalisait la loi Neuwirth ?**
☐ Le préservatif
☐ L'alcool
☐ La contraception

**9. Quelle est la date de naissance d'Amandine, le 1er bébé éprouvette français ?**
☐ 25 juillet 1978
☐ 3 octobre 1980
☐ 24 février 1982

**10. Quelle île de la baie de Canton en Chine a pour capitale Victoria ?**
☐ Taïwan
☐ Hong Kong
☐ Macao

**11. Quel arbre est cultivé pour son latex ?**
☐ L'hévéa
☐ L'épicéa
☐ L'if

**12. Qui a inventé le revolver à 6 coups ?**
☐ Smith & Wesson
☐ Sturm Ruger & Co
☐ Samuel Colt

## Quiz sur le permis de conduire

**1. Une baisse importante du liquide de frein peut être due à :**
- ☐ Une usure des plaquettes de frein
- ☐ L'évaporation du liquide
- ☐ Une fuite du circuit de freinage

**2. Pour vérifier le bon fonctionnement de mes feux de recul, je dois :**
- ☐ Démarrer le véhicule et enclencher la marche arrière
- ☐ Mettre seulement le contact et enclencher la marche arrière
- ☐ Enclencher la marche arrière sans mettre le contact

**3. La vitesse la plus puissante sur une voiture, c'est :**
- ☐ La 1$^{re}$ vitesse
- ☐ La 5$^e$ vitesse

**4. En général, sur une voiture à propulsion...**
- ☐ Les quatre roues donnent la vitesse au véhicule
- ☐ Les roues avant donnent la vitesse
- ☐ Les roues arrière donnent la vitesse

**5. Mon passager ne met pas sa ceinture de sécurité :**
- ☐ Je risque une amende
- ☐ Je risque une perte de 2 points
- ☐ Je risque la perte de 3 points
- ☐ Je ne perds pas de points

**6. Téléphoner au volant est passible de la perte de :**

☐ 1 point

☐ 2 points

☐ 3 points

☐ 4 points

### TEST 16

La chambre est carrée, donc avec quatre coins. Dans chaque coin, il y a un chat. Devant chaque chat, trois chats. Et sur la queue de chaque chat, un chat.
Combien y a-t-il de chats dans la chambre ?

## TEST 17

Un petit garçon affirrme: "J'ai autant de frères que de sœurs". Sa sœur répond: "J'ai deux fois plus de frères que de sœurs". Combien y a-t-il d'enfants dans cette famille?

## TEST 18

1. Est-ce qu'il y a un 14 juillet en Belgique?

2. Combien un homme moyen a de jour d'anniversaire?

3. Certains mois ont 31 jours. Combien en ont 28?

4. Combien d'animaux mangent avec leur queue?

5. Est-il légal en Californie d'épouser la sœur de sa veuve?

6. Diviser 30 par 1/2 et ajouter 10. Combien cela fait-il?

**7.** S'il y a 3 pommes et que vous en prenez 2, combien vous en avez ?

**8.** Un médecin vous donne trois cachets à prendre toutes les demi-heures. Combien de temps allez-vous tenir avec ces trois cachets ?

**9.** Un fermier a 17 moutons, tous sauf 9 meurent. Combien en reste-t-il ?

**10.** Combien d'animaux de chaque sexe Moïse emmena-t-il sur l'arche ?

**11.** Combien y a-t-il de paires de chaussettes dans une douzaine ?

## TEST 19

Un fermier va au marché avec 100 euros. Avec ces 100 euros, le fermier doit acheter 100 animaux sans rapporter de monnaie. Un poulet coûte 1/2 euro, un cochon 5 euros et un mouton 10 euros. Combien le fermier aura-t-il de poulets, de cochons et de moutons, en sachant qu'il doit rapporter au moins un animal de chaque espèce ?

## TEST 20

Annie entre dans un club exclusivement réservé aux femmes. 600 femmes en sont membres. Parmi elles, 5 % portent une boucle d'oreille. Des 95 % qui restent, la moitié porte deux boucles d'oreilles et les autres aucune. **Combien y a-t-il de boucles d'oreilles dans ce club ?**

- ☐ 475
- ☐ 527
- ☐ 600
- ☐ 750

## TEST 21

Le père de Violette
a cinq filles :
- Lili
- Lulu
- Lolo
- Lala

**Quel est le prénom
de la cinquième ?**

## TEST 22

En se rendant à un point d'eau,
un lion croise 6 girafes. Chaque
girafe porte 3 singes sur son dos
et chaque singe a 2 oiseaux sur
l'épaule.

**Combien d'animaux se
rendent au point d'eau ?**

## TEST 23

Vous êtes aveugle, sourd
et muet. Combien vous
reste-t-il de sens ?

- ☐ 2
- ☐ 3
- ☐ 4
- ☐ 5

# TEST 24

Charles-Henri, qui est très malade, doit prendre huit pilules, à raison d'une par quart d'heure.
Combien de temps va-t-il mettre ?

- ■ 1 h 30
- ■ 1 h 45
- ■ 2 h
- ■ 4 h

# TEST 25

Combien de gouttes d'eau de 1 mm³ peut-on mettre dans un verre vide de 25 centilitres ?

Trois chats attrapent
trois souris en
trois minutes.
Combien faudra-t-il
de chats pour
attraper cent
souris en cent minutes ?

**Combien de fois y a-t-il le chiffre 9
de 0 à 100 ?**

- 11 fois
- 19 fois
- 20 fois
- 21 fois

## Testez vos connaissances en géographie

**1. Quel pays n'a pas de frontière avec la Finlande ?**
☐ La Suède
☐ La Norvège
☐ L'Islande

**2. Dans quel pays est le port de Haïfa ?**
☐ Le Liban
☐ Israël
☐ La Syrie

**3. Quelle est la plus grande ville du Brésil ?**
☐ Brasilia
☐ Sao Paulo
☐ Rio de Janeiro

**4. Quelle est la capitale de la Somalie ?**
☐ Mogadiscio
☐ Kismaayo
☐ Hargeisa

**5. À quel pays appartient l'archipel des Açores ?**
☐ Le Portugal
☐ L'Espagne
☐ L'Italie

**6. Comment s'appelle maintenant l'ancien royaume d'Abyssinie ?**
□ L'Éthiopie
□ L'Égypte
□ Le Mali

**7. Sur quel continent êtes-vous, si vous visitez Canberra ?**
□ En Europe
□ En Amérique
□ En Océanie

**8. Dans quel pays paye-t-on avec des ringgits ?**
□ Au Sri Lanka
□ En Thaïlande
□ En Malaisie

**9. Quel pays a pour devise "L'union fait la force" ?**
□ La Suisse
□ La Belgique
□ L'Allemagne

**10. Quel pays est le plus proche des États-Unis après le Canada et le Mexique ?**
□ L'Angleterre
□ La Russie
□ L'Islande

# TEST 29

## Trouvez l'intrus !

1. ☐ **Prévert**
   ☐ **Pagnol**
   ☐ **Picasso**
   ☐ **Mozart**
   ☐ **Prokofiev**

2. ☐ **Retaper**
   ☐ **Rafraîchir**
   ☐ **Restaurer**
   ☐ **Replier**
   ☐ **Rénover**

3. ☐ **Voiture**
   ☐ **Autobus**
   ☐ **Carrosse**
   ☐ **Traîneau**
   ☐ **Wagon**

4. ☐ **Baleine**
   ☐ **Hareng**
   ☐ **Lion**
   ☐ **Chien**
   ☐ **Mouton**

5. ☐ Araignée
   ☐ Abeille
   ☐ Papillon
   ☐ Fourmi
   ☐ Moucheron

6. ☐ Shanghai
   ☐ Delhi
   ☐ Le Caire
   ☐ Lhassa
   ☐ Québec

7. ☐ Couteau
   ☐ Fourchette
   ☐ Cuillère
   ☐ Flèche
   ☐ Harpon

8. ☐ Paris
   ☐ Londres
   ☐ New York
   ☐ Berlin
   ☐ Madrid

9. ☐ N
   ☐ A
   ☐ X
   ☐ K
   ☐ F

10. ☐ Datte
    ☐ Banane
    ☐ Avocat
    ☐ Poire
    ☐ Raisin

## TEST 30

Francis est dans une pièce
dont les quatre murs,
le plafond et le plancher
sont entièrement recouverts
de miroirs.
Combien de réflexions de
lui-même Francis voit-il?

## TEST 31

**Pour pouvoir bronzer à l'abri des regards, Célia décide de faire construire une palissade autour de son jardin carré de 100 mètres de côté. Pour réaliser ce projet, son mari doit mettre un pilier tous les 10 mètres. Combien doit-il mettre de piliers ?**

☐ 20

☐ 40

☐ 60

## TEST 32

Combien de fois peut-on soustraire 10 de 100 ?

☐ 1 fois

☐ 9 fois

☐ 10 fois

☐ 11 fois

☐ 20 fois

## TEST 33

Deux poules se trouvent devant une poule,
deux poules se trouvent derrière une poule
et une poule est au milieu.
**Combien de poules
y a-t-il en tout ?**

☐ **3**
☐ **6**
☐ **8**
☐ **9**

## TEST 34

**Trois femmes ont chacune deux filles.
Elles se rendent toutes ensemble dans
un restaurant à sushis. Il n'y a que
sept tabourets au comptoir, et
pourtant chacune s'assoit
sur un tabouret.
Comment est-ce possible ?**

Alizée a des épingles chinoises à cheveux, toutes sont jaunes sauf deux, toutes sont orange sauf deux, et toutes sont mauves sauf deux.
Combien d'épingles jaunes, orange, et mauves possède-t-elle ?

[ ] jaunes    [ ] orange    [ ] mauves

## TEST 36

Augustine et Ernest sont punis par leur mère.
Ils doivent ramasser les feuilles dans le jardin.
Après 2 heures, Augustine rassemble les trois tas de feuilles qu'elle a faits avec les deux tas de son frère.

**Combien y a-t-il de tas en tout ?**

- ☐ 1
- ☐ 2
- ☐ 3
- ☐ 5

# TEST 37

Un libraire achète un livre 70 euros,
le vend 80 euros, le rachète 90 euros, le
revend 100 euros. Quel a été son bénéfice ?

- ☐ **10 euros**
- ☐ **20 euros**
- ☐ **30 euros**

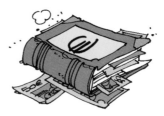

# TEST 38

**Henri Plantagenêt et Aliénor d'Aquitaine s'aiment
et sont mariés depuis quinze ans. Pourtant, quand
Aliénor annonce à Henri qu'elle demande le divorce,
ce dernier est fou de joie.
Pourquoi ?**

**TEST 39
Testez
vos
connaissances
en culture
générale**

1. En Grèce, comment appelle-t-on l'ascenseur ?

2. Pour l'ensemble de vos dents, vous dites denture ou dentition ?

3. Quelle était la plus grande île du monde avant la découverte de l'Australie ?

**4.** Qui a toutes ses feuilles en janvier, mais une seule en décembre ?

**5.** "L'an 2052 sera sombre puisqu'il commencera un vendredi 13 !" La prédiction de Nostradamus est-elle inquiétante ?

**6.** Qu'est-ce que les voleurs tiennent absolument à prendre, à la fin de leur "visite" ?

**7.** Il y a un seul endroit au monde où le samedi vient avant le vendredi. Où est-ce ?

**8.** Un homme vivant en France peut-il être enterré en Angleterre ?

**9.** En quelle année Noël et le jour de l'An ont-ils eu lieu la même année ?

**10.** Il contient du sucre et pourtant il n'est jamais sucré. Qu'est-ce ?

## TEST 40

Un avion parcourt la distance de Paris à Toulouse en 1 heure 20 min à l'aller mais effectue le retour en 80 minutes. **Comment expliquez-vous cette différence ?**

## TEST 41

Mr et Mme Smith ont 5 filles et chaque fille a un frère. Combien sont-ils dans cette famille ?

## TEST 42

Vous êtes en vacances en Slovénie et vous voulez rapporter un souvenir de Ljubljana. En quelle monnaie allez-vous payer ?

## Qui est le couturier officiel de ces dames ?

**1. Pour Catherine Deneuve**
☐ Yves Saint Laurent
☐ Christian Lacroix
☐ Pierre Cardin
☐ Pierre Balmain

**2. Pour Madonna**
☐ Jean Paul Gaultier
☐ Balanciaga
☐ Thierry Mugler
☐ Nina Ricci

**3. Pour Monica Bellucci**
☐ Dior
☐ Stéphane Rolland
☐ John Galliano
☐ Jean-Louis Scherrer

**4. Pour Charlotte Gainsbourg**
☐ Paco Rabanne
☐ Gérard Darel
☐ Léonard
☐ Giorgio Armani

# TEST 44

## Testez vos connaissances en culture générale

**1. L'instrument de musique dont se servaient les Grecs était une:**
- ☐ Lirre
- ☐ Lyrhe
- ☐ Lyre

**2. Où se trouve l'Etna?**
- ☐ En Sardaigne
- ☐ En Sicile
- ☐ Au Japon

**3. Quelle est l'origine du yoghourt?**
- ☐ Suisse
- ☐ Bulgare
- ☐ Français

**4. L'armistice de la Seconde Guerre mondiale a été signé:**
- ☐ Le 8 Mai 1945
- ☐ Le 14 Juillet 1945
- ☐ Le 11 Novembre 1945

**5. Dans de nombreux pays, quel serment doivent prononcer les futurs médecins?**
- ☐ Le serment d'Aristote
- ☐ Le serment d'Hippocrate
- ☐ Le serment de Platon

**6. Qui est ce Suédois inventeur de la dynamite?**
- ☐ Alfred Nobel
- ☐ Alexandre Nobel
- ☐ Albert Nobel

**7. Qui fut président de la Russie de 1993 à 1999 ?**

☐ Boris Eltsine
☐ Mikhaïl Gorbatchev
☐ Vladimir Poutine

**8. À quelle mission spatiale appartenait Neil Armstrong ?**

☐ Apollo 9
☐ Apollo 10
☐ Apollo 11

**9. Quel terme français désigne une forêt dense à la végétation verte et luxuriante ?**

☐ Une oasis
☐ Un bosquet
☐ Une jungle

**10. Quel est le nom de ce chapeau, symbole de la respectabilité, fait en feutre rigide et bombé ?**

☐ Le chapeau bolivar
☐ Le chapeau melon
☐ Le chapeau fedora

**11. Dans le folklore français, quel symbole représente 27 ans de mariage ?**

☐ Le rubis
☐ Le cuir
☐ L'acajou

**12. Quelle est la boisson gazeuse qui fut au départ un produit pharmaceutique ?**

☐ Le champagne
☐ Le Coca-Cola
☐ Le Schweppes

# TEST 45

Une carafe en cristal contient un litre plus une demi-carafe, alors combien contient la carafe ?

- 1,5 litre
- 2 litres
- 3 litres

# TEST 46

Dominique a quatre enfants :
Régis, Milène et Fabien.
**Comment s'appelle son petit dernier ?**
Renzo, Solène, Romane ou Florian ?

# TEST 47

1. Est-il possible que DIX = 509 ?

2. Quelle est la lettre qui suit cette série :
U D T Q C ?

3. Le mot "revolver" se lit-il dans les deux sens ?

4. Quel sera le premier jour du III$^e$ millénaire ?

5. Trouver un mot en utilisant une fois les lettres
suivantes : F R A M P U

6. Que veut dire cette phrase :
LNAKCDEIRÉANRVRV

7. IX = 6. Rendez cette égalité
vraie en ajoutant un signe.

8. En quoi le chiffre "4"
a une particularité avec
les 6 chiffres suivants :
7, 5, 2, 0, 9, 8 ?

# TEST 48

## Testez vos connaissances en cuisine

**1. Comment s'appelle l'action qui consiste à ajouter au jus de cuisson ou aux sucs restant dans le plat, après cuisson de l'eau, du bouillon ou du vin ?**

☐ Déglacer
☐ Dégorger
☐ Dégraisser

**2. Avec quoi barde-t-on certaines volailles ou viandes avant de les cuire ?**

☐ De la ficelle
☐ Une tranche de lard
☐ De l'huile

**3. Que peut-on "limoner" ?**

☐ Le poisson
☐ Le lait de vache
☐ La limonade

**4. Qu'est-ce qu'un "caquelon" ?**

☐ Un moule à fromage
☐ Une marmite en terre
☐ Le premier cri du poussin

**5. Que fait-on quand on ajoute de la farine et un oignon à un corps gras chaud ?**

☐ Blondir

☐ Roussir

☐ Brunir

**6. Quelle est la méthode de cuisson la plus sûre pour réussir un chocolat fondu ?**

☐ Le bain-marie

☐ Le four

☐ La casserole

**7. Comment cuit un plat qui doit mijoter ?**

☐ Doucement et régulièrement

☐ Rapidement et à feux vif

☐ Doucement au dernier moment

**8. Que peut-on "cuire à blanc" ?**

☐ Des œufs

☐ Une pâte à tarte

☐ Une préparation mélangée à du lait

**9. De quelle partie du corps humain est formé le terme "gastronomie" ?**

☐ La langue

☐ Le nez

☐ L'estomac

**10. Tout bon gastronome est forcément...**

☐ Gourmet

☐ Gourmand

☐ Les deux

## TEST 49

Votre héros veut traverser la rivière pour aller chercher le billet de 30 dollars qui est de l'autre côté... Il n'y a pas de pont et il ne peut pas traverser à la nage car la rivière est remplie de piranhas.

Que fait-il ?

- ■ Il cherche un bâton long pour s'en servir de perche.
- ■ Il brave les piranhas et traverse la rivière.
- ■ Il décide de laisser tomber.

## TEST 50

Les enfants de Josie sont nés la même année, le même mois, le même jour et à la même heure. Pourtant ils ne sont pas jumeaux, ni même jumelles. Pourquoi ?

## TEST 51

Britney est née le 31 décembre. Pourtant, chaque année, son anniversaire tombe en été. **Pourquoi ?**

## TEST 52

Un sublime yatch dans un port a sur son flanc droit une échelle de coupée. À marée basse, il y a 15 échelons hors de l'eau. Sachant que la marée monte de 30 cm par heure et que les échelons sont distants entre eux de 10 cm.
**Combien y aura-t-il alors d'échelons hors de l'eau après 3 heures de marée montante ?**

- ☐ 7
- ☐ 10
- ☐ 15
- ☐ 18
- ☐ 20
- ☐ 21

## TEST 53

La cloche de l'église sonne
8 heures en 7 secondes.
Combien lui faut-il de
temps pour sonner midi ?

- ☐ 9 secondes
- ☐ 10 secondes
- ☐ 11 secondes
- ☐ 12 secondes

## TEST 54

Avec les lettres de mon
nom, on peut écrire celui
de ma maison.
Qui suis-je ?

## TEST 55

Un maître demande à
son élève :
"Quel mot continue la
série suivante : brasero,
hideux, vingt-quatre,
saucisse, fuite..."

- ☐ indice
- ☐ pauvre
- ☐ magie
- ☐ plante
- ☐ cendrier
- ☐ bouteille

## TEST 56

Un docteur parisien a un frère avocat
à Créteil. Mais l'avocat, lui, n'a pas
de frère docteur à Paris.
**Comment est-ce possible ?**

## TEST 57

Un canard pond un œuf
toutes les 2 heures.
En combien de temps
va-t-il pondre 3 œufs ?

☐ **6 heures**
☐ **4 heures**
☐ **150 minutes**
☐ **Un temps infini**

## TEST 58

Un homme observe un portrait
en photo. Quelqu'un lui demande
qui il regarde. L'homme lui
répond : "Je n'ai ni frère, ni sœur,
mais le père de l'homme en
photo ici est le fils de mon père".
De qui l'homme regarde-t-il
le portrait ?

**TEST 59**

# Trouvez l'intrus !

1. ☐ Mouton
   ☐ Dette
   ☐ Sabot
   ☐ Épaule
   ☐ Tonneau

2. ☐ Chemise
   ☐ Manteau
   ☐ Robe
   ☐ Pantalon

3. ☐ Litchi
   ☐ Tamarin
   ☐ Corossol
   ☐ Fruit de la passion
   ☐ Grenade

4. ☐ Mauritanie
   ☐ Zaïre
   ☐ Congo
   ☐ Bénin
   ☐ Gabon
   ☐ Somalie

5. ☐ Marion Cotillard
   ☐ Courtney Love
   ☐ Angelina Jolie
   ☐ Anaïs Croze
   ☐ Nicole Kidman
   ☐ Carla Bruni

6. ☐ Coriandre
   ☐ Gingembre
   ☐ Poivre
   ☐ Cannelle
   ☐ Muscade

7. ☐ Mérou
   ☐ Thon
   ☐ Sole
   ☐ Truite
   ☐ Bar
   ☐ Rascasse

8. ☐ Miel
   ☐ Confiture
   ☐ Nutella
   ☐ Purée
   ☐ Rillettes

9. ☐ Effacer
   ☐ Déplacer
   ☐ Estomper
   ☐ Oter
   ☐ Kidnapper

10. ☐ Baleine
    ☐ Dauphin
    ☐ Orque
    ☐ Cachalot
    ☐ Requin

## TEST 60

# À ne lire qu'une seule fois.

Vous êtes en voyage au Québec et vous conduisez un autobus de Montréal jusqu'à Rimouski, dans le bas du fleuve. À Montréal, 17 personnes embarquent dans l'autobus. À Drummondville, six personnes débarquent et neuf autres personnes embarquent.
Le bus rendu à Québec, trois personnes débarquent et cinq personnes embarquent.
À Rivière-du-Loup, six personnes débarquent et trois embarquent.
Vous arrivez finalement à Rimouski.
Quel était le nom du chauffeur d'autobus ?

# AU 2

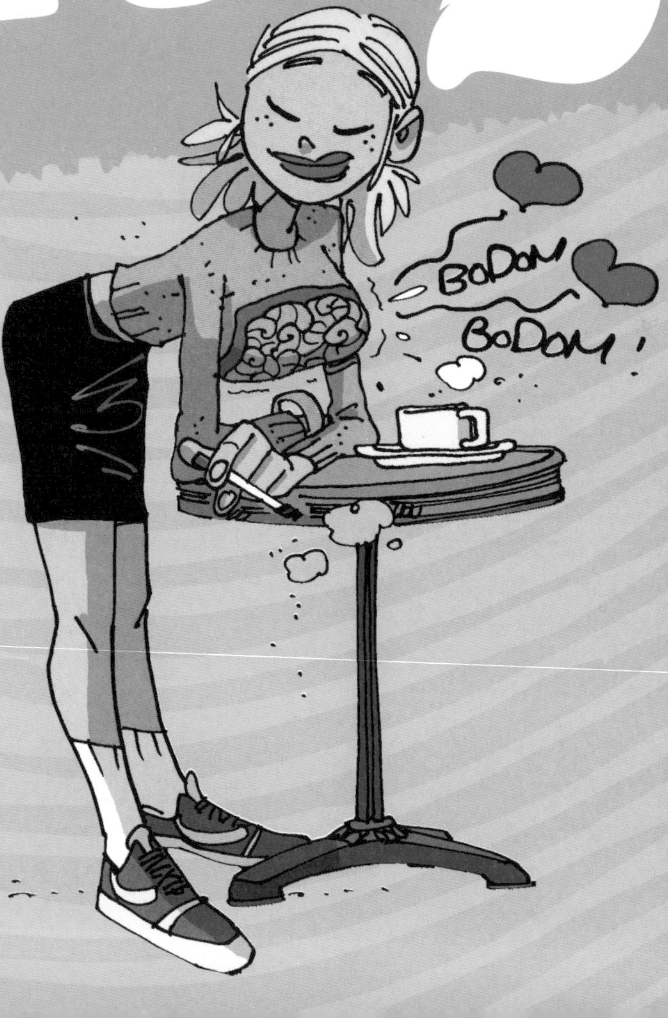

# TEST 1

## Qu'est-ce qui a une plus grande valeur ?

1. ☐ Six douzaines de douzaines
2. ☐ Une demi-douzaine de douzaine

# TEST 2

Vous avez dans votre poche deux pièces de monnaie qui font en tout 30 centimes d'euro. L'une des pièces n'est pas une pièce de 10 centimes. **Quelle est la valeur de chacune des pièces ?**

# TEST 3

Si Tom a deux fois l'âge qu'Henri aura lorsque Jacques aura l'âge que Tom a maintenant. Qui est le plus vieux ?

Qui est le plus jeune ?

## TEST 4

Je suis le blé et le sel
de la terre
Je peux compter le temps
Sombrer dans la folie
ou tomber en poussière.
Qui suis-je ?

## TEST 5

si : 
$1 = 5$
$2 = 25$
$3 = 125$
$4 = 625$
$5 = ?$

## TEST 6

**Huit cents poules pondent
en moyenne huit cents
œufs en huit jours.
Combien d'œufs pondent
quatre cents poules en
quatre jours ?**

☐ **600**
☐ **400**
☐ **200**

## TEST 7

Deux pères et deux fils sont assis autour d'une table. Sur cette table se trouvent quatre oranges, chacun en prend une. À la suite de cela, il reste une orange sur la table. **Comment est-ce possible ?**

## TEST 8

### Cherchez l'intrus

1. ☐ L'ours
   ☐ La vache
   ☐ Le chien
   ☐ Le phoque

2. ☐ Cirrus
   ☐ Altostratus
   ☐ Cumulus
   ☐ Citrus

3. ☐ Soleil
   ☐ Vent
   ☐ Nourriture
   ☐ Zinc

3. □ Charlie Chaplin
   □ Lech Walesa
   □ Salvador Dali
   □ J.F. Kennedy

4. □ Chien
   □ Perroquet
   □ Tortue
   □ Renard

5. □ Capitaine Cook
   □ Charles Mackintosh
   □ Marco Polo
   □ Paul-Émile Victor

6. □ Victoria
   □ Élisabeth
   □ Loch Ness
   □ Titicaca

7. □ Tignes
   □ Serre-Chevalier
   □ Courchevel
   □ Baqueirat-Beret

8. □ Perpignan
   □ Collioure
   □ Narbonne
   □ Canet-en-Roussillon

# TEST 9

De quelle façon pouvez-vous vous tenir derrière une personne, en sachant que celle-ci est aussi derrière vous ?

## TEST 10

Un train Paris-Lille roule à 250 km/h. En plus de sa vitesse, il est frontalement opposé à un vent soufflant lui-même à 30 km/h. En tenant compte de ces deux facteurs de déplacement de l'air, **pouvez-vous dire dans quel sens se propage la fumée qui sort du train, et à quelle vitesse ?**

☐ Vers le wagon de queue à 250 km/h
☐ Vers le wagon de queue à 220 km/h
☐ Vers nulle part

## TEST 11

Mathieu doit découper une brique en béton cellulaire. Comment peut-il faire 8 morceaux égaux en seulement 3 passages de scie en sachant que les morceaux restent ensemble ?

# TEST 12

Un comptable a dérobé
3 lingots d'or à son
employeur. Il s'enfuit
et arrive devant un
petit pont en bois qui
ne peut supporter plus
de 90 kg. Lui pèse déjà 88 kg et chaque
lingot pèse 1kg.

**Comment fait-il pour passer le pont ?**

# TEST 13

Karim et Paul veulent comparer leur vitesse à vélo bien qu'ils
ne possèdent qu'un seul engin. Aussi, sur une route bien plate
et pavée de bornes kilométriques, Karim pédale du kilomètre
un au kilomètre douze ; Paul étant derrière pour chronométrer.
Puis, du kilomètre douze au kilomètre vingt-quatre,
Paul pédale, Karim étant derrière
pour chronométrer. Karim gagne
haut la main.

**N'aurait-on pas pu prévoir ce
résultat et pourquoi ?**

## Testez vos connaissances
## en politique

**1. De quelle grande école le général de Gaulle était-il diplômé ?**
☐ Sciences-Po
☐ HEC
☐ Saint-Cyr

**2. Combien de temps Nelson Mandela est-il resté en prison ?**
☐ 9 ans
☐ 15 ans
☐ 26 ans

**3. Quelle a été la profession de Nicolas Sarkozy avant qu'il ne se lance à plein temps dans la politique ?**
☐ Chef d'entreprise
☐ Avocat
☐ Professeur d'économie
☐ Médecin

**4. Qui a dit : "Pas une femme n'est assez minable pour astiquer un revolver et se sentir invulnérable à part peut-être madame Thatcher" ?**
☐ Tony Blair
☐ Bono
☐ Renaud

**5. À quel parti appartenait Margaret Thatcher ?**

☐ Travailliste

☐ Libéral

☐ Conservateur

**6. Qui est surnommé le "líder máximo de la revolución" ?**

☐ Che Guevara

☐ Fidel Castro

☐ Joseph Staline

**7. La reine Élisabeth a commencé à régner sur le Royaume-Uni depuis...**

☐ 1942

☐ 1952

☐ 1962

**8. Quel est le surnom de Silvio Berlusconi ?**

☐ Le Che

☐ Le Cavaliere

☐ Le Duce

**9. Qui a dit : "Les arbres sont responsables de plus de pollution aérienne que les usines" ?**

☐ Bill Clinton

☐ Ronald Reagan

☐ George W. Bush

**10. Qui a dit : "Ne demande pas ce que ton pays peut faire pour toi, demande ce que tu peux faire pour ton pays" ?**

☐ Richard Nixon

☐ John Fitzgerald Kennedy

☐ George W. Bush

**1. "Il est fou..., il est fou !"**
☐ St Maclou
☐ Afflelou
☐ Justin Bridou

**2. "La vie, la vraie"**
☐ Gervais
☐ Auchan
☐ Sony

**3. "Et l'Italie est là"**
☐ Barilla
☐ Panzani
☐ Buitoni

**4. "Il nous vient du cœur de l'Italie"**
☐ Barilla
☐ Buitoni
☐ Panzani

**5. "C'est moche mais ça marche"**
☐ Biactol
☐ Eau précieuse
☐ Nivéa

**6. "La plus chaude des boissons froides"**
☐ Coca-Cola light
☐ Burn
☐ Gini

**7. "Le goût des choses simples"**
☐ Herta
☐ Le sucre
☐ Maggi

**8. "La vie n'est pas en noir et blanc, elle est en or"**
☐ L'or
☐ J'adore
☐ Médor

**9. "C'est avec l'esprit libre qu'on avance"**
☐ Renault
☐ Gan assurances
☐ Sncf

**10. "... et ça repart"**
☐ Mars
☐ César
☐ 1664

**11. "Notre métier, l'emploi"**
☐ Vedior bis
☐ Manpower
☐ Anpe

**12. "Un café nommé désir"**
☐ Carte d'or
☐ Carte noire
☐ L'or

**13. "Le contrat de confiance"**
☐ Anpe
☐ Darty
☐ Crédit agricole

**14. "Longue vie à votre auto"**
☐ Norauto
☐ Feu vert
☐ Midas

**15. "Le tigre est en toi"**
☐ Friskies
☐ Frosties
☐ Esso

**16. "La perfection au masculin"**
☐ Gillette
☐ Wilkinsword
☐ Mennen

**17. "Réagissez"**
☐ But
☐ Ikéa
☐ Manpower

# TEST 16

Un homme habite dans un immeuble de la Défense, de 58 étages. Un coup de vent fait s'envoler la lettre qu'il tenait à la main alors qu'il était à la fenêtre. Il essaie de la rattraper et il tombe en se penchant. Pourtant il s'en sort sans une égratignure.
**Pourquoi ?**

## TEST 17

Maël doit partir en camping de très bonne heure avec ses amis. Mais il n'a pas préparé son sac et ne veut pas allumer la lumière, pour ne pas réveiller sa femme. Dans un tiroir, il y a des chaussettes vertes, blanches et bleues, il ne peut distinguer les couleurs.

**Quel nombre minimal de chaussettes lui faut-il sortir pour être sûr qu'il en a bien deux de la même couleur ?**

☐ 8
☐ 6
☐ 5
☐ 4

## TEST 18

Félix a 20 poules qui sont enfermées dans 3 cages. En 3 semaines, les poules des 3 cages vont couver 30 œufs. Un jour, il décide d'acheter une 4ᵉ cage et 10 nouvelles poules. Combien de temps faudra-t-il à 30 poules pour couver le même nombre d'œufs ?

■ 6 semaines
■ 4 semaines
■ 3 semaines

## TEST 19

### Qui suis-je ?

1. J'ai longtemps fait partie d'un groupe d'humoristes. J'ai débuté sur Canal+ avec mes trois acolytes. Puis je suis passé sur la chaîne Comédie.
☐ Alain Chabat
☐ Bruno Carrete
☐ Dominique Farrugia

2. Réalisateur inimitable, les décors de mes films sont largement inspirés du cinéma d'animation. Mon acteur fétiche est Johnny Depp.
☐ Terry Gilliam
☐ Tim Burton
☐ John Waters

3. Une de mes séries de BD porte comme nom un chiffre qui inquiète les superstitieux. J'ai écrit "Largo Winch" en tant que roman avant d'en faire une BD.
☐ Franquin
☐ Van Hamme
☐ Enki Bilal

4. Je suis à l'origine du groupe de pop ayant connu un succès inégalé dans les années 1960. Pacifiste, j'étais la bête noire de Richard Nixon.
☐ Paul McCartney
☐ John Lennon
☐ Mick Jagger

## TEST 20

Lors d'un voyage, Thibault a expédié 135 cartes postales en six mois, soit de janvier à juin. Chaque mois, il a expédié sept cartes de plus que le mois précédent. Combien Thibault a-t-il expédié de cartes postales en juin?

□ 22
□ 35
□ 40
□ 47

## TEST 21

Jow ayant dépassé la mesure, Al Capone ordonne, dans un mouvement de colère, son exécution. Calmé, il se ravise, mais il perdrait la face s'il revenait sur l'ordre donné. Alors il laisse une chance à Jow pour se tirer lui-même de ce mauvais pas. Il lui dit ceci: "Tu dormiras cette nuit ligoté au radiateur, et tu me diras demain comment tu veux mourir".

Le lendemain, Jow dit au parrain: "Al, je voudrais mourir..."

**Quelle mort a-t-il choisie?**

# TEST 22

Quand on en est loin, on n'y pense pas.
Plus on s'en rapproche, plus on y pense.
Quand elle est là, on n'y pense plus du tout.
**Qu'est-ce que c'est ?**

# TEST 23

Le budget que vous proposez et que vous votez est refusé à l'unanimité.
**Que faites-vous ?**

# TEST 24

Hector peint une maison en 6 jours ; son collègue Gilles, lui, peut faire le même travail en 3 jours seulement.
**Combien de temps faudrait-il pour repeindre cette maison s'ils unissaient leurs forces ?**

☐ 1,5 jour

☐ 2 jours

☐ 2,5 jours

## vrai ou faux ?

**1. En météorologie, une dépression est signe de beau temps.**

☐ Vrai
☐ Faux

**2. Érasme était un humaniste.**

☐ Vrai
☐ Faux

**3. La taxe Tobin permettrait d'effacer la dette des pays pauvres.**

☐ Vrai
☐ Faux

**4. Le vrai nom du Professeur Choron était Georges Bernier.**

☐ Vrai
☐ Faux

**5. Le chiffre Pi est infini.**

☐ Vrai
☐ Faux

**6. Gandhi est mort assassiné par un extrémiste musulman qui militait pour la partition du pays.**

☐ Vrai
☐ Faux

**7. Christophe Colomb partit d'Espagne vers les Indes avec six caravelles.**

☐ Vrai
☐ Faux

**8. La trilogie new-yorkaise de Paul Auster a été adaptée au cinéma.**

☐ Vrai
☐ Faux

**9. Louis XIV a régné soixante-quinze ans.**

☐ Vrai
☐ Faux

## TEST 26

Hubert est propriétaire d'un petit hôtel. Il décide de refaire la décoration. Il achète des chiffres en bronze afin de numéroter les vingt chambres. Le prix d'un chiffre est égal à la valeur qu'il représente : le chiffre 1 a coûté 1 €, le chiffre 2 coûte 2 €, etc. Le Zéro coûte 10 €. **Comment réduire au minimum le coût de cette opération, sachant que les chiffres doivent obligatoirement se suivre ?**

## TEST 27

Un homme africain, habillé de vêtements noirs, marche au milieu de la rue. Une voiture tous feux éteints s'arrête pile devant lui. Il n'y a pas de lune. Les réverbères sont éteints. **Comment le conducteur a-t-il pu le voir ?**

## TEST 28

Un sage entreprend de gravir une montagne. Pour cela il part le matin à 9 h et arrive au sommet à 12 h. Il se repose une nuit dans le refuge de la cime et repart le lendemain à 9 h. Empruntant le même chemin, il est en bas à 12 h.
Existe-t-il un endroit sur le chemin où il est passé à la même heure les deux jours ?
**Comment prouver l'existence ou l'inexistence d'un tel endroit ?**

## TEST 29

Des veaux sont placés dans six enclos. Il y a en tout un veau rayé de plus que de veaux tachetés dans chaque enclos. Chaque enclos contient un nombre différent de veaux tachetés.
**Combien y a-t-il au minimum de veaux dans les six enclos ?**

# Féminin ou masculin ?

**Anagramme**
- ☐ Féminin
- ☐ Masculin

**Tentacule**
- ☐ Féminin
- ☐ Masculin

**Planisphère**
- ☐ Féminin
- ☐ Masculin

**Pétoncle**
- ☐ Féminin
- ☐ Masculin

**Patère**
- ☐ Féminin
- ☐ Masculin

**Agrumes**
- ☐ Féminin
- ☐ Masculin

**Haltère**
- ☐ Féminin
- ☐ Masculin

**Épître**
- ☐ Féminin
- ☐ Masculin

**Algèbre**
- ☐ Féminin
- ☐ Masculin

### Astéroïde
- ☐ Féminin
- ☐ Masculin

### Ivoire
- ☐ Féminin
- ☐ Masculin

### Cuticule
- ☐ Féminin
- ☐ Masculin

### Effluve
- ☐ Féminin
- ☐ Masculin

### Embâcle
- ☐ Féminin
- ☐ Masculin

### Ozone
- ☐ Féminin
- ☐ Masculin

### Ovule
- ☐ Féminin
- ☐ Masculin

### Emblème
- ☐ Féminin
- ☐ Masculin

### Termite
- ☐ Féminin
- ☐ Masculin

### Testicule
- ☐ Féminin
- ☐ Masculin

### Viscère
- ☐ Féminin
- ☐ Masculin

### Astérisque
- ☐ Féminin
- ☐ Masculin

### Antidote
- ☐ Féminin
- ☐ Masculin

### Argile
- ☐ Féminin
- ☐ Masculin

### Échappatoire
- ☐ Féminin
- ☐ Masculin

### Échauffourée
- ☐ Féminin
- ☐ Masculin

### Emblème
- ☐ Féminin
- ☐ Masculin

### Enzyme
- ☐ Féminin
- ☐ Masculin

**Orbite**
- ☐ Féminin
- ☐ Masculin

**Réglisse**
- ☐ Féminin
- ☐ Masculin

**Interview**
- ☐ Féminin
- ☐ Masculin

**HLM**
- ☐ Féminin
- ☐ Masculin

**Après-midi**
- ☐ Féminin
- ☐ Masculin

**Hymne**
- ☐ Féminin
- ☐ Masculin

**Acmé**
- ☐ Féminin
- ☐ Masculin

**Épitaphe**
- ☐ Féminin
- ☐ Masculin

**Granule**
- ☐ Féminin
- ☐ Masculin

**Stalactite**
- ☐ Féminin
- ☐ Masculin

**Interligne**
- ☐ Féminin
- ☐ Masculin

**Armistice**
- ☐ Féminin
- ☐ Masculin

**Aromate**
- ☐ Féminin
- ☐ Masculin

## TEST 31

Dix personnes sont dans une base au pôle Nord pour une mission. Ingénieurs et mécaniciens se côtoient pendant des mois, tous les jours. Mais à cause du froid et des conditions de vie particulièrement difficiles, il faut 56 rations de nourriture par jour pour les nourrir. Chaque ingénieur prend 5 rations et chaque mécanicien 6 rations.

**Combien y a-t-il d'ingénieurs et de mécaniciens sur cette base ?**

## TEST 32

Les amies d'Elvire, réunies pour un "thé time", lui lancent un défi. Celui de couper le cake de forme rectangulaire en 8 parts égales en seulement 3 coups de couteau.

**Comment Elvire va s'y prendre ?**

# TEST 33

Quatre vaches noires et trois vaches brunes donnent en cinq jours autant de lait qu'en quatre jours trois vaches noires et cinq vaches brunes. **Quelle sorte de vache donne le plus de lait ?**

◻ Les brunes

◻ Les noires

◻ Les blanches

## TEST 34

Nina commence son entraînement pour le "semi-marathon" de Paris. Elle fait donc un circuit de 21 km. Sur la première moitié, elle marche à 5 km/h, puis elle court à 10 km/h sur la seconde moitié. **À quelle vitesse moyenne a-t-elle fait son circuit ?**

☐ 6,7 km/h

☐ 7,5 km/h

☐ 8,2 km/h

## TEST 35

Dans un centre équestre, Sylvia attend sa fille. Pour passer le temps, elle compte en tout 30 têtes et 104 pieds. **Combien y a-t-il de chevaux et de personnes ?**

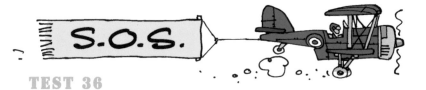

Mme Clarisse Delamark demande à son veilleur de nuit : "Réveillez-moi à 7 h 00 demain matin, je dois prendre l'avion pour New York". Le lendemain, le veilleur réveille sa patronne et lui dit : "J'ai rêvé que votre avion s'écrasait, n'y allez pas". Clarisse suit le conseil de son gardien, et comme de fait, l'avion s'écrase. Elle retourne voir le veilleur et lui dit : "Merci, vous m'avez sauvé la vie, vous êtes renvoyé".
**Pourquoi ?**

**TEST 37**

**Une énigme de Jean-Jacques Rousseau**

**Enfant de l'art, enfant de la nature. Sans prolonger les jours, j'empêche de mourir. Plus je suis vrai, plus je fais d'imposture. Et je deviens trop jeune à force de vieillir.
Qui suis-je ?**

## TEST 38

Stéfanie et Carl arrivent dans un refuge de montagne. Il fait déjà nuit, ils sont épuisés. Dans le refuge, il y a une bougie, une lampe à huile et un poêle à bois. Ils ne leur reste qu'une allumette.

**Qu'allument-ils en premier ?**

## TEST 39

Une partie d'échecs comprend 114 joueurs. Quand un joueur perd une partie, il est éliminé du tournoi.

**Combien faut-il organiser de rencontres pour avoir le gagnant final ?**

# TEST 40

Katie cherche à tâtons une paire de bas dans un tiroir. La chambre est dans le noir et Peter dort encore. Elle sait qu'elle possède des bas couture, des bas résille, et des bas opaques.

**Quel nombre minimal de bas lui faut-il sortir pour être sûre qu'il y en a bien deux pareilles ?**

☐ 8 ☐ 4

☐ 6 ☐ 3

☐ 5 ☐ 2

# TEST 41

Il y a 20 ans, un avion volait à 20 000 m au-dessus de l'Allemagne. À cette époque, l'Allemagne était politiquement divisée en 2 parties : Allemagne de l'Ouest et Allemagne de l'Est. Durant l'envolée, 2 moteurs lâchent. Le pilote, réalisant que le dernier moteur n'en menait pas large, décida d'appliquer la procédure d'atterrissage d'urgence. Malheureusement, le dernier moteur lâcha avant, et l'avion s'écrasa dans la zone hors-limites entre l'Allemagne de l'Ouest

et l'Allemagne de l'Est. Où furent enterrés les survivants ? En Allemagne de l'Ouest ou en Allemagne de l'Est, ou dans la zone hors-limites ?

# TEST 42

## Cherchez l'intrus

1. □ Sapin
   □ Cèdre
   □ Chêne
   □ Épicéa

2. □ Bourrache
   □ Olive
   □ Colza
   □ Orge

3. □ Chartreux
   □ Siamois
   □ Abyssin
   □ Pinsher

4. □ Cheval
   □ Zèbre
   □ Chameau
   □ Âne

5. □ "Le Dictateur"
   □ "Les Temps modernes"
   □ "Hibernatus"
   □ "Charlot soldat"

8. □ Europe
   □ Asie
   □ Australie
   □ Amérique

6. □ Josiane Balasko
   □ Marie-Anne Chazel
   □ Dominique Lavanant
   □ Valérie Lemercier

9. □ Sahara
   □ Namib
   □ Lybie
   □ Dakhla

7. □ "Parle avec elle"
   □ "Talons aiguilles"
   □ "Tout sur ma mère"
   □ "Intacto"

## TEST 43

**Mélanie est plus grande que Lidia, Ludivine est plus petite que Mélanie. Carole est plus grande que Ludivine mais moins grande que Lidia. Donc Lidia est la plus grande.**

□ **Vrai**
□ **Faux**

## TEST 44

Julie et Frank sont au restaurant, ils ont presque fini leur plat quand Julie dit : Si tu me donnes une de tes frites, j'aurai deux fois plus de frites que toi. Et Paul répond : Oui mais si c'est toi qui m'en donnes une, nous aurons chacun le même nombre de frites.

**Combien leur reste-t-il de frites dans leur assiette ?**

## TEST 45

Complétez la série :
**Pau   Nice   Paris   ?**

☐ Bordeaux

☐ Lille

☐ Marseille

☐ Rennes

## TEST 46

Si vous lui ajoutez 7,
il est divisible par 7.
Si vous lui ajoutez 8,
il est divisible par 8.
Si vous lui ajoutez 9,
il est divisible par 9.
**Quel est ce nombre ?**

■ 499

■ 504

■ 510

## TEST 47

### Testez vos connaisances sur les femmes célèbres

**1. Quelle femme politique est à l'origine de la loi sur l'avortement en France ?**

☐ Simone Veil

☐ Édith Cresson

☐ Arlette Laguiller

**2. Quelle artiste fut la muse, l'élève et la maîtresse du sculpteur Auguste Rodin ?**

☐ Marguerite Yourcenar

☐ La comtesse de Ségur

☐ Camille Claudel

**3. Qui la réalisatrice Sofia Coppola porta-t-elle à l'écran en 2005 ?**

☐ Marie-Antoinette

☐ Joséphine Bonaparte

☐ Marguerite de France

**4. Quelle puissante reine se donna la mort ?**

☐ Cléopâtre

☐ La reine Victoria

☐ La reine de Saba

**5. Quelle femme obtint le surnom de "mère du mouvement des droits civiques" aux États-Unis au milieu des années 50 ?**

☐ Coretta Scott King

☐ Rosa Parks

☐ Claudette Colvin

**6. Quelle impératrice régna sur son empire avec force et modernisme à compter du 28 juin 1762, et jusqu'à sa mort, en 1796 ?**

☐ Catherine II de Russie

☐ L'impératrice d'Autriche, dite Sissi

☐ Joséphine de Beauharnais Bonaparte

**7. Quel prix Nobel de la Paix fut béatifié par le pape Jean-Paul II, le 19 octobre 2003 ?**

☐ Sœur Emmanuelle

☐ Mère Teresa

☐ Rigoberta Menchu Tum

## Qui suis-je ?

**1. Je suis une humoriste française. Mais j'ai aussi chanté "Goûte mes frites" et joué dans quelques films dont "Les Visiteurs".**

☐ Anne Roumanoff

☐ Valérie Lemercier

☐ Arielle Dombasle

**2. Ma mise en scène est unique dans le paysage cinématographique américain. J'ai relancé la carrrière de John Travolta en 1994.**

☐ Steven Soderberg

☐ Brian De Palma

☐ Quentin Tarantino

**3. Je suis le leader d'un groupe psychédélique des années 1970 dont l'un des titres les plus connus est "Break on through".**

☐ Jim Morrison

☐ Jerry Garcia

☐ Jimi Hendrix

## TEST 49

Plus j'ai de gardiens,
moins je suis gardé.
Moins j'ai de gardiens,
plus je suis gardé.
**Qui suis-je ?**

## TEST 50

Azélie a acheté un certain nombre de pêches un
vendredi. Puis elle en a donné quatre. Elle a
acheté cinq pêches le jour suivant. Puis elle en a
donné trois. Le dimanche, elle en a acheté sept.
Puis elle en a donné encore trois. Le dimanche au
soir, elle a huit pêches.
**Combien Azélie a-t-elle
acheté de pêches le
vendredi ?**

- 4
- 5
- 6

# TEST 51

Émilie revient au village en hurlant. Elle a croisé un monstre dans la montagne. Elle le décrit aux villageois, mais se perd un peu sur la hauteur de l'étrange bête : "Oh elle est énorme, elle mesure 40 mètres plus la moitié de sa propre longueur." **Combien mesure le monstre ?**

## TEST 52

Un voleur est soumis à la question. Le bourreau lui fait une faveur, en lui laissant le soin de choisir la manière dont il sera exécuté :
Écrasé sous le poids d'une boule de pierre de cinq tonnes.
Jeté dans la fosse aux lions qui n'ont pas mangé depuis cinq mois.
Ébouillanté dans l'huile pendant sept jours et sept nuits.
Mordu par cinq scorpions, douze mygales et cinq crotales.
Décapité vivant par une tribu de cannibales.

**Quel est le meilleur choix à faire ?**

## TEST 53

Une école fête son 24e anniversaire. À cette occasion, les quatre anciennes directrices ont été invitées à une réception présidée par la directrice actuelle. Chaque directrice présente a parlé pendant cinq minutes et une pause de trois minutes a été prévue entre chaque discours. **Combien de temps a duré la cérémonie ?**

## TEST 54

Trouvez le jour de la semaine différent des autres, en oubliant Dimanche, qui est le seul à ne pas se terminer par un "i".

- ☐ LUNDI
- ☐ MARDI
- ☐ MERCREDI
- ☐ JEUDI
- ☐ VENDREDI
- ☐ SAMEDI

## TEST 55

Vous êtes quelque part sur Terre. Vous faites 1 km à l'est, puis 1 km au nord, et vous vous retrouvez au même point. Vous rencontrez alors un ours.

**De quelle couleur est sa fourrure ?**

## TEST 56

Trois fourmis marchent en file indienne.
La première dit :
"Une fourmi me suit"
La deuxième dit :
"Une fourmi me suit"
La troisième dit :
"Une fourmi me suit"
**Les fourmis disent la vérité, comment est-ce possible ?**

## TEST 57

Comme chaque matin, Élisa prend l'ascenseur jusqu'au rez-de-chaussée, pour aller à l'école. Elle habite au 21e étage d'une tour. Après une journée bien remplie, elle rentre chez elle. Et comme chaque fin d'après-midi, elle reprend l'ascenseur jusqu'au 19e étage et l'escalier pour les deux étages restants. Pourquoi ?

# TEST 58

Un forgeron en plein travail tient un morceau de fer incandescent au bout de sa grande pince. Un magicien surgit : "Si tu me donnes un écu d'or, je le lèche", lui dit-il. Le forgeron lui remet un écu d'or, et attend la suite... Le magicien le lèche vraiment, sans se brûler la langue.
**Comment ?**

# TEST 59

Sherlock Holmes et son ami enquêtaient dans une maison où il y avait eu un meurtre. Son ami eut besoin d'aller aux toilettes. Un homme lui dit :
– Montez les escaliers et tournez à gauche, mais attention, si vous tournez à droite, vous tomberez dans un trou.
Trente minutes plus tard, son ami n'étant pas revenu, Sherlock Holmes décida de monter les escaliers, tourna à droite, ouvrit la porte et vit son ami dans le trou, mort.
**Est-ce un meurtre ou un suicide, et pourquoi ?**

## Vrai ou faux ?

**1. Marie Curie fut la première femme française à être élue à l'Académie de médecine.**
- ☐ Vrai
- ☐ Faux

**2. Kennedy fut le plus jeune président des États-Unis.**
- ☐ Vrai
- ☐ Faux

**3. Rimbaud et Verlaine ont écrit ensemble "Le Bateau ivre".**
- ☐ Vrai
- ☐ Faux

**4. Yémen est la capitale du Yémen.**
- ☐ Vrai
- ☐ Faux

**5. Marie Curie a reçu deux prix Nobel.**
- ☐ Vrai
- ☐ Faux

**6. "Le Canard Enchaîné" est un mensuel satirique.**
- ☐ Vrai
- ☐ Faux

**7. François Truffaut a réalisé "L'Enfant sauvage".**
☐ Vrai
☐ Faux

**8. Le véritable nom de Colette est Sidonie Gabrielle Colette.**
☐ Vrai
☐ Faux

**9. Les femmes américaines furent les premières à obtenir le droit de vote.**
☐ Vrai
☐ Faux

## TEST 1

Kévin a dépensé 72 euros. Bertrand a dépensé le double. Charly a dépensé la différence des sommes dépensées par Kévin et Bertrand. Didier a dépensé la même somme que Bertrand, plus 50 euros.
**Sans calculette, pouvez-vous dire qui a dépensé la même somme ?**

- Kévin et Didier
- Didier et Charly
- Kévin et Charly

## TEST 2

Un docteur est invité à un apéritif dînatoire. Mais alors qu'il vient d'arriver à la fête, son téléphone sonne. Il doit partir sur-le-champ pour une urgence. Il demande un whisky glace à un serveur, le boit d'un trait, prend une poignée de petits-fours et repart. Le lendemain, il apprend que tous les invités sont morts empoisonnés. **Pourquoi pas lui ?**

# TEST 3

Dans la jungle, un ingénieur
et deux explorateurs doivent
traverser une rivière avec
une pirogue. Sachant que
la pirogue ne peut supporter
que 100 kg et que l'ingénieur pèse 100 kg
et que les deux explorateurs pèsent chacun
50 kg, comment feront-ils pour passer de
l'autre côté de la rivière ?

# TEST 4

Jules demande l'heure à ses amis. Mais personne n'a la
même heure. Les montres indiquent respectivement :
14 h 30, 15 h 00, 14 h 50 et 14 h 20. L'une d'elles avance
de 20 minutes, une autre retarde de 10 minutes, une s'est
arrêtée, une est à la bonne heure.
**Mais quelle heure est-il ?**

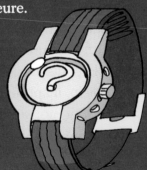

- 14 h 30
- 15 h 00
- 14 h 50
- 14 h 20

## TEST 5

"Il est un père qui a douze enfants ; chacun d'eux a soixante filles d'aspect très différent, les unes blanches, les autres noires. Toutes sont immortelles et meurent". Qui sont-ils ?

## TEST 6

Si 9 Belges boivent 12 pintes de bière en 8 jours, combien 24 Belges boiront-ils de pintes de bière en 30 jours ?

## TEST 7

Un peintre est sur une échelle. Il est sur le barreau du milieu, il monte de cinq marches pour une retouche sur le mur, puis descend de dix pour mieux vérifier le mur, remonte de sept, puis remonte de neuf pour la dernière retouche. Combien y a-t-il de barreaux à l'échelle suivant les solutions proposées ?

- ☐ 11
- ☐ 23
- ☐ 26
- ☐ 30

# TEST 8

## Testez vos connaissances en sport

**1. Lequel de ces sportifs n'est pas un tennisman ?**
☐ Paul-Henri Mathieu
☐ Jo Wilfried Tsonga
☐ Yohan Gourcuff

**2. Lequel de ces sportifs n'est pas un footballeur ?**
☐ Yohan Gourcuff
☐ Usain Bolt
☐ Franck Ribéry

**3. Lequel de ces sportifs ne pratique pas l'athlétisme ?**
☐ Usain Bolt
☐ Marie-José Pérec
☐ Kobe Bryan

**4. Lequel de ces sportifs n'est pas un basketteur ?**
☐ Sebastien Chabbal
☐ Michael Jordan
☐ Kobe Bryant

**5. Lequel de ces sportifs n'est pas un rugbyman ?**
☐ Sébastien Chabal
☐ Frédéric Michalak
☐ Fernando Alonso

**6. Lequel de ces sportifs n'est pas un pilote de Formule 1 ?**
☐ Grégory Coupet
☐ Lewis Hamilton
☐ Fernando Alonso

L'ÉPIQUE
LE QUOTIDIEN DU SPORT ET DE L'AUTOMOBILE

## TEST 9

## Comment ça s'écrit ?

☐ des court-bouillons
☐ des courts-bouillons
☐ des courts bouillons

☐ des barquaroles
☐ des barcarolles
☐ barcarroles

☐ l'amharique
☐ l'hammarique
☐ l'enmarique

☐ des monte-charges
☐ des montes-charges
☐ des monte-charge

☐ des aide-mémoire
☐ des aides-mémoires
☐ des aides-mémoire

## TEST 10

Trois amis doivent se rendre à une fête située à 60 km de leur village. L'un d'eux dispose d'un scooter 2 places qui fait du 50 km/h, et chaque personne fait du 5 km/h en marchant. **Comment font-ils pour se rendre à leur fête en 3 h ?**

## TEST 11

Dans une famille, le père est en prison, la fille est en pleurs devant un hôtel et la mère est contente, elle sourit.
**Que se passe-t-il donc dans cette famille ?**

## TEST 12

**Un escargot gravit un mur de 1 m en une heure, il monte de 30 cm puis glisse de 20 cm. Combien de temps lui faut-il pour arriver en haut du mur ?**

- **8 heures**
- **9 heures**
- **10 heures**

**1. Qui a envoyé le 1ᵉʳ message télégraphique en 1844 ?**
☐ Samuel Morse
☐ John Morse
☐ Alexandre Morse

**2. De quel pays le Chili est-il séparé par la chaîne andine ?**
☐ L'Argentine
☐ Le Paraguay
☐ L'Uruguay

**3. Qui fut sacré meilleur grimpeur lors du tour de France, en 1999 ?**
☐ Richard Virenque
☐ Alberto Elli
☐ Mariano Piccoli

**4. En quelle année eurent lieu les tristement célèbres manifestations de la place Tian'anmen ?**
☐ 1987
☐ 1988
☐ 1989

**5. Qui est cet aviateur qui réussit à traverser l'Atlantique nord sans escale, en 1927 ?**
☐ Charles Lindbergh
☐ Antoine de Saint-Exupéry
☐ Lloyd George

**6. Dans lequel de ces clubs Zidane n'a-t-il jamais joué ?**
☐ Juventus de Turin
☐ Cannes
☐ l'US Saint-Henri
☐ Sochaux

**7. Quelle équipe a remporté trois Coupes d'Allemagne depuis 1998 ?**
☐ Le Bayern de Munich
☐ Schalke 04
☐ Bayer Leverkusen

**8. Sur quel album du Velvet Underground figure la fameuse banane dessinée par Andy Warhol en couverture ?**
☐ "White light, white heat"
☐ "The Velvet Underground and Nico"
☐ "Loaded"

**9. Quel pays n'appartient pas à l'OTAN ?**
☐ La Suède
☐ Le Danemark
☐ La République tchèque
☐ La Hongrie

**10. Quel pays a une monnaie autre que le dinar ?**
☐ Le Maroc
☐ L'Algérie
☐ La Tunisie
☐ La Libye

**11. Wolfgang Amadeus Mozart est un compositeur du :**
☐ XVe siècle
☐ XVIe siècle
☐ XVIIe siècle
☐ XVIIIe siècle

# TEST 14

Dans une cité universitaire de l'UCLA (Californie), on trouve 25 rues. Dans chacune de ces rues, il y a 50 maisons, dans chaque maison, 3 chambres, et dans chaque chambre 2 filles et pour chaque fille 2 garçons.

**Combien y a-t-il d'étudiants en tout ?**

- ☐ 12 000
- ☐ 15 000
- ☐ 18 000
- ☐ 20 000

# TEST 15

## L'énigme de Boileau

"Du repos des humains, implacable ennemie. J'ai rendu mille amants envieux de mon sort. Je me repais de sang et je trouve la vie, dans les bras de celui qui recherche ma mort". De quoi s'agit-il ?

## À partir des indices ci-dessous,
## devinez le nom de ces personnages

Si c'était une ville, ce serait Vienne.

Si c'était un témoignage, ce serait une confession.

Si c'était un personnage mythologique, ce serait Œdipe.

Si c'était un meuble, ce serait un divan.

Si c'était une histoire, ce serait un fantasme.

**Qui suis-je ?**

Si c'était une ville, ce serait Hollywood.

Si c'était un objet, ce serait une caméra.

Si c'était une légende, ce serait un cow-boy.

Si c'était un roman, ce serait
"The Bridges of Madison County"
de Robert James Waller.

Si c'était un sport ce serait
de la boxe.

**Qui suis-je ?**

**Testez vos connaissances en géographie**

**1. Quel est le nom des habitants de Bourges ?**
☐ Berruyers
☐ Bourgeais
☐ Bourgiens

**2. Quel est le nom des habitants de Bobigny ?**
☐ Bobinais
☐ Bobois
☐ Balbyniens

**3. Quel est le nom des habitants de Niort ?**
☐ Niorois
☐ Niortois
☐ Niortais

**4. Quel est le nom des habitants de Tours ?**
☐ Tourangeaux
☐ Toursonnais
☐ Toureliens

**5. Quel est le nom des habitants de Vannes ?**
☐ Vannois
☐ Vannetais
☐ Vannais

**6. Quel est le nom des habitants d'Albi ?**
☐ Albigeois
☐ Albanais
☐ Albinais

**7. Quel est le nom des habitants de Besançon ?**
☐ Besanciens
☐ Bisontins
☐ Besançonnais

**8. Quel est le nom des habitants de Béziers ?**
☐ Bézois
☐ Biterrois
☐ Bézans

**9. Quel est le nom des habitants de Castres ?**
☐ Castrois
☐ Castriens
☐ Castrais

**10. Quel est le nom des habitants de Créteil ?**
☐ Crétois
☐ Cristoliens
☐ Cristalliens

**11. Quel est le nom des habitants de Limoux ?**
☐ Limougeots
☐ Limouxins
☐ Limouxois

**12. Quel est le nom des habitants de Metz ?**
☐ Messois
☐ Messins
☐ Messains

## TEST 18

Hector a gagné huit boîtes de CD. Il propose à Émile : "Si je te donnais trois boîtes plus 15 CD, tu en aurais 255".

Combien lui restera-t-il de CD ?

■ 430

■ 385

■ 270

## TEST 19

Épitaphe :
CI-GIT LE FILS AVEC LA MERE
CI-GIT LA FILLE AVEC LE PERE
CI-GIT LA SŒUR AVEC LE FRERE
CI-GIT LA FEMME ET LE MARI
ET NE SONT QUE TROIS CORPS ICI.

Trouver les seuls personnages possibles de cet épitaphe.

## TEST 20

Un homme riche avait deux fils. Comme son heure approchait, il les fit venir à son chevet et leur dit qu'il ne parvenait pas à décider lequel des deux serait son héritier. Mais il se proposait de les départager grâce à une course. Le lendemain matin, les frères iraient à Kadisht, une ville distante de quelque vingt lieues. Celui dont le chameau arriverait le dernier deviendrait l'héritier de leur père. Au lever du soleil, les deux frères montèrent sur leurs meilleurs chameaux. Leur père donna le signal du départ, et chacun employa tous les subterfuges qu'il put imaginer pour rester derrière l'autre. À la tombée de la nuit, ils avaient parcouru moins de cent pas. Très troublés, ils allèrent dans une taverne pour partager un verre de vin et discuter de leur problème. Tous les deux avaient des affaires à surveiller et une famille à entretenir ; ils ne pouvaient pas demeurer indéfiniment dans le désert. Ils firent part de leur dilemme au patron. Après réflexion, il leur donna un conseil de trois mots. Le lendemain matin, ils se remirent en route pour Kadisht. Mais cette fois, ils faillirent faire crever leurs chameaux.

**À votre avis, que leur avait conseillé le tavernier ?**

## TEST 21

Le nombre d'admis au concours général baisse de 60 % une année, puis augmente de 70 % l'année suivante. Sur l'ensemble des deux années, de combien a varié le nombre d'admis ?

## TEST 22

Finaliste d'un jeu télévisé, le présentateur vous invite à piocher en aveugle dans un coffre où il y a dix billets de 100 euros, dix billets de 200 euros et dix billets de 500 euros. Le jeu s'arrête dès que vous retirez trois billets similaires (par exemple trois billets de 200 euros). Quel est le plus gros montant d'argent que vous pouvez espérer retirer du coffre ?

☐ 1 000
☐ 1 600
☐ 2 100

## TEST 23

1. Combien y a-t-il de mois de 31 jours dont le mot contient un J ?

2. À quel nombre vous fait penser le mot TÉTRALOGIE ?

3. Quel nombre a le plus de lettres entre 100 et 120 ?

## TEST 24

Deux villes distantes de 1 000 km sont reliées par une double voie de chemin de fer. À un moment donné, deux trains roulant à 100 km/h quittent chacune des deux villes en direction de l'autre. Une mouche dont la vitesse est de 150 km/h commence alors un aller-retour ininterrompu entre ces deux trains. Quelle distance aura parcourue la mouche au moment où les deux trains se croisent ?

☐ 875 km
☐ 750 km
☐ 500 km

## TEST 25

Trois amis en voyage à Malte prennent une chambre à l'hôtel. Le prix de la chambre est de 30 €. Ils payent chacun 10 €. Après coup, le propriétaire de l'hôtel décide de leur faire une réduction de 5 €. Il demande à un employé d'aller porter les 5 €. Le groom ne sait pas comment diviser cette somme par 3 et leur rend donc 1 € chacun et garde les 2 autres euros pour lui. Cela revient à dire qu'ils ont payé chacun :
10 € – 1 € = 9 € et que le service de chambre a gardé 2 €.
Mais 3 x 9 € = 27 €. Donc 27 € + 2 € = 29 €
**Où est passé le dernier euro ?**

## TEST 26

### Il ne faut lire qu'une seule fois l'énoncé

Un tramway a pris, au départ de sa tournée, les 80 personnes qui patientaient à l'arrêt depuis 20 min. Au premier arrêt 12 personnes montent, et 6 descendent. À l'arrêt suivant, il laisse monter 6 personnes et 2 descendent. Peu après 10 montent et personne ne descend. À l'arrêt suivant, 2 montent et 5 descendent. À l'arrêt suivant, personne ne monte et 2 descendent. Juste avant l'arrivée au terminus, 2 personnes montent et 5 descendent. Au terminus, tout le monde descend. Combien y a-t-il d'arrêts ?

# Testez vos connaissances en histoire

**1. Dans quel pays le Franc CFA n'est-il pas en vigueur?**
☐ Le Sénégal
☐ Le Ghana
☐ Le Mali
☐ La Côte d'Ivoire

**2. Quel traité reconnaît la citoyenneté européenne à toute personne ayant la nationalité d'un Etat membre de l'Union?**
☐ Amsterdam
☐ Maastricht
☐ Rome

**3. Quel pays d'Amérique du Sud n'a pas adopté le dollar comme monnaie nationale?**
☐ Le Panama
☐ L'Équateur
☐ Le Salvador
☐ L'Argentine

**4. Qui a dit: "L'Europe est un État composé de plusieurs provinces."?**
☐ Napoléon
☐ Montesquieu
☐ Jean Monnet
☐ Jacques Delors

**5. De quelle monnaie le kopeck est-il l'équivalent du centime ?**

☐ Le rouble

☐ Le heller

☐ Le drachme

**6. Le Conseil de sécurité de l'ONU est composé de...**

☐ 5 membres

☐ 10 membres

☐ 15 membres

**7. Quel est l'objectif de développement numéro 1 de l'ONU pour le millénaire ?**

☐ Réduire l'extrême pauvreté et la faim

☐ Assurer l'éducation primaire pour tous

☐ Promouvoir l'égalité des sexes

☐ Réduire la mortalité infantile

**8. L'armistice de la Première Guerre mondiale entre la France, l'Angleterre et l'Allemagne fut signé...**

☐ Dans un avion

☐ Dans un wagon

☐ Dans un bateau

**9. Combien de millions d'euros ont été consacrés en France par l'État à la culture en 2006 ?**

☐ 825,6 millions

☐ 1 594 millions

☐ 2 886 millions

☐ 6 377 millions

## vrai ou faux ?

**1. On envisagea à Paris un chemin de fer sans rails où des voitures en forme de gondoles se déplaçaient en prenant appui sur des réverbères.**

☐ Vrai
☐ Faux

**2. En Inde, les feuilles de bétel servent de chewing-gum.**

☐ Vrai
☐ Faux

**3. On trouve le rougail dans le couscous tunisien.**

☐ Vrai
☐ Faux

**4. La Grande Muraille de Chine est le seul monument visible de la lune.**

☐ Vrai
☐ Faux

**5. Depuis octobre 2003, la Chine est le troisième pays à avoir envoyé un homme dans l'espace après l'ex-Union soviétique et les États-Unis.**

☐ Vrai
☐ Faux

**6. Le Nil est le plus long fleuve du monde.**
☐ Vrai
☐ Faux

**7. En russe, "Glasnost" signifie restructuration.**
☐ Vrai
☐ Faux

**8. L'Everest tient son nom de George Everest, premier géomètre à l'avoir mesuré.**
☐ Vrai
☐ Faux

**9. La capitale de l'Australie est Sidney.**
☐ Vrai
☐ Faux

**10. Il y a des nomades sur le territoire canadien.**
☐ Vrai
☐ Faux

## TEST 29

Bruce roule sur une piste sénégalaise en se dirigeant vers le nord. Soudain, une chèvre surgit sur la piste. Pour l'éviter, il donne un grand coup de volant qui le projette sur un baobab. Le choc le renvoie sur la piste, où il est accroché par un camion qui l'envoie valdinguer sur un cacahuétier.
**Combien de cacahuètes en tombent ?**

## TEST 30

Sur un télésiège, au moment où le siège n° 95 croise le n° 105, le n° 240 croise le n° 230. Les sièges sont régulièrement espacés et numérotés dans l'ordre à partir du n° 1. **Combien de sièges y a-t-il sur ce télésiège ?**

- 260
- 270
- 280

## TEST 31

Léa doit rajouter 4 dl de lait dans son gâteau au chocolat. Mais elle n'a rien pour mesurer, à part deux pots, l'un d'une contenance de 5 dl et l'autre de 3 dl. **Comment peut-elle faire ?**

## TEST 32

Mes forêts sont sans arbres, mes fleuves et mes rivières sont sans eau, mes villes et mes villages sont sans édifices, mes routes sont sans chaussées.
**Qui suis-je ?**

## TEST 33

Cynthia, Josée et Karine ont fait chacune un rallye aux quatre coins de la planète. Cynthia a roulé 148 kilomètres de plus que Josée et 57 kilomètres de moins que Karine. Josée et Karine ont franchi 657 kilomètres en tout. Combien chacune a-t-elle parcouru de kilomètres ?

## TEST 34

Trois amies, Lola, Léonie et Lulu, font du vélo dans les bois. Chacune conduit le VTT d'une amie et porte le chapeau de son autre amie. La personne qui conduit le vélo de Lola porte le chapeau en paille de Léonie. Qui conduit le vélo de Lulu ?

- ☐ Lulu
- ☐ Léonie
- ☐ Lola

# TEST 35

Clarisse est manipulatrice dans un laboratoire. Elle demande à sa collaboratrice : "Si une bactérie se multiplie à chaque seconde, qu'elle se scinde en deux, en quatre, etc., et qu'au bout d'une minute, elle remplit tout le bocal, combien de temps faudra-t-il pour remplir ce bocal avec 4 fois plus de bactéries au départ ?"

- 60 secondes
- 58 secondes
- 50 secondes
- 48 secondes
- 24 secondes
- 16 secondes

# TEST 36

Agnès gagne 40 euros par jour à surveiller la plage de La Baule. Quand Rose commence ce travail, Agnès a déjà travaillé 12 jours. Toutefois, Rose gagne 50 euros par jour.
**Quand Agnès et Rose auront-elles gagné le même montant ?**

- ☐ 14 jours
- ☐ 24 jours
- ☐ 48 jours
- ☐ 52 jours

# Comment ça s'écrit ?

☐ des boute-en-train
☐ des boute-en-trains
☐ des boutes en train

☐ calembourg
☐ calembour
☐ calambourg

☐ Harriette
☐ arriète
☐ ariette

☐ des œils-de-bœuf
☐ des œils-de-bœufs
☐ des œil-de-bœufs

☐ hérithèmes
☐ érythèmes
☐ érrithèmes

## Testez vos connaissances people

### 1. Quel est le vrai nom du chanteur Eminem ?
☐ Marshall Mathers
☐ Allen Menime
☐ Chris Bridges

### 2. Avec qui Nicole Kidman s'est-elle mariée récemment ?
☐ Colin Farrell
☐ Keith Urban
☐ Mike Berry

### 3. Quel est le vrai nom de Sophie Marceau ?
☐ Sophie Maupu
☐ Anne-Sophie Mopu
☐ Marie-Sophie Mopou

### 4. Quel est le nom de l'enfant de Brad Pitt et Angelina Joli ?
☐ Shiloh Nouvel
☐ Suri
☐ Sashimi

**5. Quel est le vrai nom de Victoria Abril ?**
☐ Mérida Rojas Victoria
☐ Rojas Maria
☐ Méridas Linda

**6. Où Tom Cruise a-t-il demandé Katie Holmes en mariage ?**
☐ Paris
☐ Londres
☐ Rome
☐ Madrid

**7. Quel est le vrai prénom de Madonna ?**
☐ Esther
☐ Elvira
☐ Louise
☐ Mona

## TEST 39

Un fermier dispose d'une barque et veut faire traverser, de l'autre côté d'une rivière, un loup, une chèvre et un chou. Mais il ne peut en prendre qu'un seul à la fois, et le loup ne doit pas rester seul avec la chèvre, et la chèvre ne doit pas rester seule avec le chou.
**Comment fait-il pour faire traverser le loup, la chèvre et le chou ?**

## TEST 40

Six verres sont alignés. Les trois premiers sont pleins et les trois derniers sont vides.
Est-il possible, en ne bougeant qu'un verre, de faire alterner les verres pleins et les verres vides ?

## TEST 41

Anaïs s'amuse dans l'escalier. Elle est sur la marche du milieu, elle monte de cinq marches, descend de dix, remonte de sept, puis remonte de neuf.

### Combien y a-t-il de marches à l'escalier ?

☐ 23
☐ 28
☐ 30

## TEST 42

Ma première lettre est dans LONG et non dans ÉLAN.

Ma deuxième lettre est dans BRUN et non dans BOND.

Ma troisième  lettre est dans TROP et non dans PÂTE.

Ma quatrième lettre est dans AISE et non dans CALE.

Ma cinquième lettre est dans PEUR et non dans PORT.

Je vis dans la forêt. Mon nom est en 5 lettres.

Qui suis-je ?

## TEST 43

Dans un village en Provence, on trouve
15 maisons. Pour chaque maison il y a
5 lauriers-roses et 20 pieds de lavande.
Pour chaque laurier-rose il y a 11 abeilles.
Et pour chaque pied de lavande
il y a 3 abeilles.
**Combien d'abeilles y a-t-il ?**

- 1 025
- 1 325
- 1 725
- 2 125

**1. Combien y a-t-il de planètes dans notre système solaire ?**
☐ 10
☐ 9
☐ 8
☐ 7
☐ 6

**2. Qu'est-ce que des stalagmites ?**
☐ Des roches calcaires qui montent du sol
   vers la voûte d'une grotte
☐ Des roches calcaires qui descendent de la
   voûte d'une grotte au sol
☐ Des roches en fusion

**3. De qui le petit ramoneur est-il amoureux dans
"Le Roi et l'Oiseau" de Paul Grimault ?**
☐ Une princesse
☐ Une bergère
☐ Une fermière

**4. Qui chante : J'ai besoin d'amour ?**
☐ Lorie
☐ Jenifer
☐ Nolwenn Leroy

**5. Le panda est originaire de :**
☐ Japon
☐ Chine
☐ Corée

**6. En quelle année a-t-on assisté à la chute du mur de Berlin ?**
☐ 1989
☐ 1990
☐ 1991

**7. De quel pays est originaire le tango ?**
☐ Brésil
☐ Uruguay
☐ Chili
☐ Argentine

**8. Dans laquelle de ses œuvres Guy de Maupassant dépeint-il la condition féminine de son époque ?**
☐ Le Horla
☐ Bel Ami
☐ Une vie

**9. Quels personnages Degas se plaisait-il à peindre ?**
☐ Les ramoneurs de cheminée
☐ Les ballerines de l'Opéra
☐ Les jongleurs du cirque

**10. Quelle est la mer la plus basse en altitude ?**
☐ La mer Noire
☐ La mer Rouge
☐ La mer Morte

## À partir des indices ci-dessous, devinez le nom de ces personnages

Si c'était un fruit, ça pousserait sur une île exotique.
Si c'était un lieu, ça séparerait la France de l'Angleterre.
Si c'était un liquide, ce serait un parfum.
Si c'était une manifestation, ce serait un défilé.
Si c'était un chiffre, ce serait le 5.
**Qui suis-je ?**

Si c'était un animal, ce serait un dauphin.
Si c'était une ville, ce serait Reno aux États-Unis.
Si c'était un personnage historique, ce serait Jeanne d'Arc.
Si c'était un véhicule, ce serait un taxi.
Si c'était une légende,
ce serait celle du roi Arthur.
**Qui suis-je ?**

## TEST 46

Tout paraît renversé chez moi.
Le laquais précède le maître.
Le manant passe avant le roi.
Le simple clerc avant le prêtre.
Le printemps vient après l'été.
Noël avant la Trinité.
Qui suis-je ?

## TEST 47

Vous avez deux cordes et un briquet.
Sachant que chaque corde brûle
en exactement une heure,
comment calculer
15 minutes précisément ?

## Testez vos connaissances
## en culture générale

**1. En France, jusqu'au XIII$^e$ siècle, quelle était la couleur de la robe de mariée ?**

☐ Jaune

☐ Blanc

☐ Rouge

**2. Pourquoi avoir choisi le vert pour les premiers billets de banque, les dollars américains ?**

☐ En référence aux jeux d'argent

☐ En référence à la liberté

☐ En référence à la nature

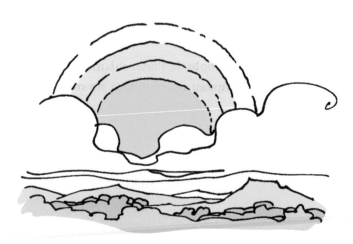

**3. Laquelle de ces couleurs n'est pas une couleur fondamentale ?**

☐ L'indigo

☐ Le rose

☐ L'orangé

**4. Quelle est la couleur du deuil au Japon ?**

☐ Le noir

☐ Le gris

☐ Le blanc

**5. Depuis quand le vert est-il associé à la nature et à l'écologie ?**

☐ L'Antiquité

☐ Le Moyen-âge

☐ Le XIXe siècle

☐ Le XXe siècle

**6. Pourquoi le maillot du Tour de France est-il jaune ?**

☐ Comme le soleil qui fait briller le Tour

☐ Parce que le journal *l'Auto* était édité sur papier jaune

☐ À l'origine, une blague autour du leader et de sa chance de cocu

**7. En plus d'être le symbole de l'anarchisme, que signifiait le fait de hisser un drapeau noir en haut du mât d'un bateau ?**

☐ L'imminent abordage de pirates

☐ Il n'y a plus rien à manger à bord

☐ Un code pour identifier les bateaux contaminés par la peste

## TEST 49

Valou part faire les soldes avec 115 euros en poche pour s'acheter une robe.

**Quelle offre devra-t-elle choisir ?**

- ☐ A : Une robe à 140 euros – 15 %
- ☐ B : Une robe à 150 euros – 25 %
- ☐ C : Une robe à 170 euros – 30 %
- ☐ D : Une robe à 180 euros – 35 %

## TEST 50

La vieille sorcière du village a jeté un sort à Blandine. Elle est condamnée à passer ses journées sous la forme d'une marguerite et à ne reprendre sa forme humaine que la nuit. La malédiction ne sera brisée que quand quelqu'un la cueillera. Elle dit alors à son amant : "Viens demain matin dans le pré, tu me trouveras et tu me cueilleras."

HELP!

**Mais comment son amant pourra-t-il la retrouver parmi toutes ces autres marguerites ?**

– Lucien ! Je voudrais un menu à 20 euros, s'il vous plaît !

– Tout de suite, Madame !

– Mais attendez un peu : il y a un léger souci !

– Lequel, Madame ?

– Et bien voilà, Lucien... Je n'ai pas un sou ! Je sors du casino, et je suis complètement fauchée !

– Je crains que ce soit effectivement un problème, Madame !

– C'est pourquoi j'ai une proposition à vous faire : vous voyez cette chaîne en or ? Je l'ai payée la semaine dernière 3 180 euros, soit 159 fois le prix d'un repas... Or il se trouve qu'elle comporte exactement 159 maillons ! Je vous propose donc un maillon contre un repas...

– Cela me semble acceptable, Madame.

– Bien ! Dans ce cas, peut-être serait-il possible que je vienne manger 159 fois ?

– Bien sûr, Madame ! Vous n'avez qu'à me donner votre chaîne tout de suite, et...

– Oh là ! Pas si vite ! Je ne vous donnerai qu'un maillon à la fois, à la fin de chaque repas !

– Alors là, ça ne m'intéresse plus ! Pour reconstituer la chaîne, je vais devoir ressouder 158 maillons ! J'ai autre chose à faire !

– Mais non, Lucien ! Vous allez en ressouder beaucoup moins que ça ! Je vais vous expliquer !

**Combien de maillons Lucien va-t-il devoir ressouder au minimum, et surtout, lesquels ?**

## Testez vos connaissance en mode

**1. Qui a inventé le porte-jarretelles ?**
☐ Gustave Eiffel
☐ Ferréol Dedieu
☐ Le roi Edouard IV d'Angleterre

**2. À quoi ressemblait le premier soutien-gorge ?**
☐ À un corset coupé
☐ À deux passoires reliées entre elles
☐ À deux mouchoirs noués entre eux

**3. Une capeline, c'est :**
☐ Une petite cape
☐ Un chapeau à longs bords souples
☐ Une étole un peu large

**4. Une manche gigot, c'est :**
☐ Une manche trois-quarts et droite
☐ Une manche longue, serrée au poignet, avec de la dentelle
☐ Une manche courte et bouffante sur l'épaule

**5. Des derbys, ce sont :**
☐ Des mocassins
☐ Des chaussures lacées
☐ Des ballerines

**6. Les leggings, ce sont :**
☐ Des mi-bas en laine
☐ Des collants sans pieds
☐ Des guêtres

**7. Un paletot, c'est :**
☐ Un manteau court évasé avec des manches trois-quarts
☐ Un pull col V
☐ Un cardigan brodé de sequins

**8. Une robe chasuble, c'est :**
☐ Une robe à volants
☐ Une robe évasée taille haute
☐ Une robe droite sans manches

## TEST 53

Un prestidigitateur demande à la salle de deviner combien de fleurs en papier sont cachées dans son chapeau. Sachant qu'une personne a bien deviné, qu'une autre s'est trompée de cinq, une autre de un, une autre de deux, et enfin une autre de trois, combien le prestidigitateur a-t-il de fleurs en papier dans son chapeau ? Les réponses des spectateurs :

☐ 28      ☐ 33
☐ 29      ☐ 35
☐ 30

# TEST 54

Victoire cherche des plantes.
Une amaryllis coûte 5 euros,
un ficus 10 euros et une
orchidée 25 euros. Pour l'achat
d'une amaryllis elle rajoute un ficus.
Mais il y en a un de moins
pour l'achat d'orchidées.
Combien pourra-t-elle acheter
de plantes pour 220 euros ?

- 10
- 15
- 25

# TEST 55

Vous êtes dans une pièce, sur un mur il y a
trois interrupteurs : l'un des trois permet
d'allumer la lampe de la pièce voisine et les
deux autres ne commandent rien. La pièce
voisine est fermée et étanche à la
lumière. Après avoir manipulé deux
interrupteurs au maximum, vous pouvez
aller dans la pièce voisine.
**Comment trouver l'interrupteur qui
commande la lampe, en utilisant
deux interrupteurs seulement ?**

## TEST 56

Une mère interroge ses trois fils : Qui a mangé le gâteau ?
C'est pas nous.
Stephen dit : Nous disons tous la vérité, maman.
Fred dit : Non, seulement un d'entre nous dit la vérité.
Martin, le plus petit, dit : c'est Fred qui dit la vérité.
**Qui dit la vérité ?**

## TEST 57

1. Combien y a-t-il de jours au total pour les mois de mars et d'avril ?

2. Quel est le résultat de la division de 81 par 0,1 ?

3. Amélie est partie en voyage le 4 août et est revenue le 3 septembre suivant. Combien de jours son voyage a-t-il duré ?

4. Comment appelle-t-on le produit d'un nombre par lui-même ?

# TEST 58

# En chansons

**1. Quelle est la suite de : "J'ai plus de thunes..." ?**
☐ J'suis ruiné
☐ J'suis raide
☐ J'suis mal

**2. Quelle est la suite de : "J'ai les yeux de ma mère, j'ai le reste de mon père..." ?**
☐ Et ça vaut mieux que le contraire
☐ Et le sac de ma grand-mère
☐ Et un sale caractère

**3. Quelle est la suite de : "Colore le monde, sans feutre, sans épreuves..." ?**
☐ Ni bombes
☐ Ni tongs
☐ Ni bongs

**4. Qui a dit : "Marianne rebelle me disait qu'elle est plus jolie métissée" ?**
☐ Indochine
☐ Tiken Jah Fakoly
☐ Noir Désir

**5. Complétez: "Salade de fruits, jolie, jolie, jolie, un jour ou l'autre il faudra bien..."**

☐ Qu'on nous marie
☐ Qu'on nous unisse
☐ Qu'on nous allie

**6. Complétez: "Mais laisse mes mains sur tes hanches, ne fais pas..."**

☐ Ces yeux qui disent non
☐ Ces yeux pudibonds
☐ Ces yeux furibonds

**7. Complétez: "Le Soleil a rendez vous avec..."**

☐ La Lune
☐ La Terre
☐ Vénus

**8. Quelle est la suite de: "À quoi sert une chanson si elle est..."?**

☐ Désarmée
☐ Enfermée
☐ Bâillonnée

**9. Complétez: "Elle m'a dit j'ai pas l'habitude de m'occuper..."**

☐ Des gens comme toi
☐ Des cas comme ça
☐ De ces choses-là

**10. Complétez cette chanson mythique de Joe Dassin: "Tous les matins il achetait..."**

☐ Son p'tit pain au chocolat
☐ Ses p'tites brioches dorées
☐ Son croissant bien beurré

NIVE

# TEST 1

Éric est un collectionneur compulsif.
Il compte ses figurines en plomb 3 par 3,
puis 4 par 4, et enfin 5 par 5. Il lui
en reste toujours une. Puis il les compte
11 par 11 et il n'en reste aucune.
**De combien de soldats en plomb
dispose-t-il au minimum ?**

- 67
- 93
- 121
- 143

# TEST 2

Un prisonnier est enfermé dans une cellule totalement
vide et close, à l'exception d'un lit et d'une petite
pelle. Aucun gardien ne pénètre jamais dans la geôle.
Près du plafond se trouve une fenêtre sans barreaux.
Mais, même en grimpant sur le lit, il ne peut atteindre
l'ouverture pour s'échapper. L'homme décide alors
de creuser un tunnel, mais
abandonne parce que
cela prendrait trop
de temps.
**Que doit-il faire ?**

## TEST 3

Au pont-levis du château de Pierrefonds,
les soldats demandent à chaque nouvel
arrivant : Pourquoi venez-vous ici ?
Si le voyageur dit la vérité, tout va bien,
sinon il est pendu. Un jour, un voyageur

répond : Je viens ici pour
être pendu.
**En quoi cette réponse
est-elle judicieuse ?**

## TEST 4

Un tracteur roulant à 60 km/h double une carriole dont
la vitesse constante est de 45 km/h. Pendant combien
de temps le tracteur doit-il rouler pour pouvoir s'arrêter
5 minutes sans prendre le risque de voir
la carriole lui passer devant ?

- ☐ 10 min
- ☐ 15 min
- ☐ 20 min
- ☐ 25 min

## Comment ça s'écrit ?

- ☐ totologie
- ☐ totaulogie
- ☐ tothologie
- ☐ tautologie

- ☐ échimose
- ☐ équimose
- ☐ ecchymose
- ☐ écchymoze

## TEST 6

Mathieu a besoin de 100 clous de tapissier. Le vendeur a en stock des sachets de 5 clous et des sachets de 7 clous. Mathieu veut le moins de sachets possible.

**Combien de sachets de chaque quantité le vendeur va-t-il lui donner ?**

## TEST 7

Claude, empereur romain, se souvient de son enfance à Lugdunum. Alors qu'il n'avait pas 5 ans, son voisin lui offrit un chaton qui venait de naître. C'était au début de l'année que l'on nomme aujourd'hui 5 ans avant Jésus-Christ. Le chat mourut en début de l'an 5 après jésus-Christ.

**Combien d'années a vécu ce chat ?**

- ■ 9 ans
- ■ 11 ans
- ■ 10 ans
- ■ 12 ans

# Testez vos connaissances en automobile

**1. Quelle est la marque de la "Viper" ?**
☐ Porsche
☐ Dodge
☐ Rover

**2. Quelle est la marque de la "4002" ?**
☐ Renault
☐ BMW
☐ Peugeot

**3. Quelle est la marque de la "Enzo" ?**
☐ GMC
☐ Aston Martin
☐ Ferrari

**4. Que représente le logo de Citroën ?**
☐ Le grade de sergent-chef
☐ Des engrenages à chevrons
☐ Les toits d une pagode

**5. Parmi ces trois marques, une seule n'arbore pas un cheval noir cabré sur fond jaune. Laquelle ?**
☐ Maserati
☐ Ferrari
☐ Porsche

**6. Quel est l'emblème de la marque Rover ?**
☐ Une hache
☐ Un drakkar
☐ Une fée

## TEST 9

Sans ailes je vole.
Sans voix je crie.
Sans yeux je vois.
Qui suis-je ?

## TEST 10

Le vendeur propose à son client une voiture ayant servi pour les démonstrations, avec une réduction de 20 % sur le prix HT. La TVA est de 19,6 %. Voyant ce dernier hésiter, il décide de lui faire une fleur et propose alors une réduction de 20 % sur le prix TTC au lieu de la faire sur le prix HT.
**Quelle proposition est la plus intéressante ?**

☐ La première
☐ La deuxième
☐ Aucune

## TEST 11

Un boulanger possède dix machines qui font des pains de 1 kg. Malheureusement, une de ses machines est déréglée et fait des pains de 1,1 kg.
**Comment, en effectuant une pesée au moyen d'une balance qui affiche le poids de cette pesée, peut-il trouver quelle machine ne fonctionne pas ?**

## TEST 12

Comment arriver à 100 en utilisant 6 chiffres identiques ?

Marc, jeune photographe, a l'occasion de faire ses débuts lors du tournoi de tennis de Roland-Garros. Il commence avec les premières épreuves, les éliminatoires. Assis depuis longtemps dans l'herbe, face à la sortie du stade, il voit défiler des joueurs qui rejoignent la station de taxis toute proche, située de l'autre côté de la route. Soudain, un ancien lui indique gentiment qu'il devrait photographier le groupe des trois joueurs qui sortent à toute vitesse : "Avec le Hongrois et l'Allemand, l'Australien est l'une des futures vedettes du tennis mondial." Le photographe mitraille, mais il ne connaît pas les joueurs, qui se ressemblent à ses yeux. Heureusement, sa perspicacité l'aidera.

**Grâce à quoi a-t-il pu reconnaître l'Australien au milieu des autres ?**

**TEST 14**

**Citations**

Celui qui lira est un

SKRIIITCH
SKRRR

**1. Quelle est la fin de cette citation extraite du "Discours de la servitude volontaire" : "Ils ne sont grands que parce..." ?**

☐ Qu'ils nous écrasent

☐ Qu'ils sont sur la scène

☐ Que nous sommes à genoux

**2. Qui en est l'auteur ?**

☐ Étienne de La Boétie

☐ Montaigne

☐ Jacques-Auguste de Thou

**3. Complétez cette citation : "L'art ne reproduit pas le visible, ..."**

☐ Il rend invisible

☐ Il rend visible

☐ Il n'est pas visible

**4. Qui en est l'auteur ?**
☐ Pablo Picasso
☐ Paul Klee
☐ Nicolas Poussin

**5. Complétez cette célèbre citation : "Rire est le propre..."**
☐ De l'être humain
☐ De l'homme
☐ De l'esprit simple

**6. Qui en est l'auteur ?**
☐ François Rabelais
☐ Léo Ferré
☐ Charles Darwin

**7. Complétez cette citation : "L'amour à deux,
ça dure le temps..."**
☐ D'un été
☐ De compter jusqu'à trois
☐ D'une chanson

**8. Qui en est l'auteur ?**
☐ Juliette Gréco
☐ Frédéric Beigbeder
☐ Sacha Guitry

**9. Complétez la phrase célèbre extraite du "Manifeste
du parti communiste" : "Prolétaires de tous les pays,..."**
☐ Battez-vous !
☐ Unissez-vous !
☐ Rendez-vous !

**10. Qui en est l'auteur ?**
☐ Lénine
☐ Karl Marx
☐ Ernst Engel

# TEST 15

Momo dit toujours la vérité,
Lucien dit parfois vrai, parfois faux.
Celui de gauche dit :
"Celui du milieu c'est Momo."
Celui du milieu dit :
"Je suis Lucien."
Celui de droite dit :
"Celui du milieu, c'est Henri."
Où est Lucien ?

- Au milieu
- À gauche
- À droite

# TEST 16

Un chef d'entreprise dit à ses ouvriers : "Les années bissextiles ont 366 jours. Vous ne travaillez que 8 heures par jour, c'est-à-dire le tiers du temps. Cela fait 122 jours. Mais il y a 52 dimanches, restent 70 jours. Le samedi, vous disposez de la demi-journée, ce qui fait 26 jours en moins, restent 44 jours. Enlevez 5 semaines de congés payés, il reste 9 jours. Avec le jour de l'an, le 1er mai, le 14 Juillet, la Toussaint et Noël, le lundi de Pâques, le lundi de Pentecôte, et le jeudi de l'Ascension, il ne reste qu'un jour. Un jour de travail ! Et encore, les années bissextiles !
Donc, trois années sur quatre, vous ne faites rien !"

**Que pensez-vous de ces raisonnements ?
Où est la faille ?**

## TEST 17

Deux professeurs de mathématiques,
qui ne se sont pas vus depuis
longtemps, se croisent dans la rue :
– Salut Laurent, que deviens-tu ?
– Salut Louis. Je me suis marié
et j'ai maintenant 3 enfants.
– Formidable. Ils ont quel âge ?
– Devine : le produit de leurs
âges donne 36. La somme de leurs âges est égale aux
nombre de fenêtres de la maison située en face, mais
cette information ne peut t'être utile que si tu sais
que l'aîné de mes enfants a les yeux bleus.
– Ah maintenant, je connais l'âge de tes enfants.
**Quel est l'âge de chaque enfant ?**

## TEST 18

5 employés ont rendez-vous pour organiser la prochaine
grève. Tous arrivent à 8 h du matin et se saluent en se
serrant la main.
**Combien de poignées de main sont échangées :**

- ■ 25
- ■ 20
- ■ 12
- ■ 10

# TEST 19

Jean-Marie a été sélectionné pour un célèbre jeu télévisé dans lequel il doit ouvrir des boîtes. Il arrive en fin de parcours et se retrouve face à trois boîtes remplies de billets mais mal étiquetées. S'il parvient correctement à nommer les trois boîtes, il en gagnera le contenu. Sinon, il perdra tous ses gains. Jean-Marie doit désigner une seule boîte, de laquelle l'animateur sortira un seul billet. **Quelle boîte doit-il choisir pour être certain qu'il réussira à replacer les trois étiquettes correctement ?**

☐ La boîte étiquetée "billets de 100 euros"
☐ La boîte étiquetée "billets de 200 euros"
☐ La boîte étiquetée "billets de 100 et de 200 euros"

## TEST 20

Parfois je suis fort.
Parfois je suis faible.
Je parle toutes les
langues sans jamais
les avoir apprises.

**Qui suis-je ?**

## TEST 21

Jef a deux fois plus de frères que de sœurs. Élise, sa sœur, a trois fois plus de frères que de sœurs.
Combien sont-ils en tout ? Et combien de filles et de garçons ?

## TEST 22

À son petit-fils, Frank, qui lui demandait son âge, M. Gregor répondit : Si tu multiplies le tiers de mon âge par un septième et que tu divises le nombre renversé de mon âge par ce résultat qui est un entier, tu obtiendras ton âge. Et donc mon âge. Frank reprit :
– Je sais que tu as plus de 70 ans, mais tu n'es pas centenaire.

**Quel est l'âge de Frank ?**

**Quel est l'âge de M. Gregor ?**

# Testez vos connaissances en littérature

## 1. Lequel de ces romans n'a pas été écrit par Guy de Maupassant ?

☐ Boule de Suif
☐ Vol de nuit
☐ Mademoiselle Fifi
☐ Le Horla

## 2. Cherchez l'intrus parmi ces prix :

☐ Prix Goncourt
☐ Prix Médicis
☐ Prix Femina
☐ Prix Adams

## 3. Lequel de ces peintres n'appartient pas au courant surréaliste ?

☐ Max Ernst
☐ Dali
☐ Braque
☐ Miro

## 4. Cherchez l'intrus parmi ces personnalités :

☐ Henri Cartier-Bresson
☐ Bettina Rheims
☐ Claire Levacher
☐ Robert Doisneau

**5. Lequel de ces romans n'a pas été écrit par Philippe Roth ?**

☐ Pastorale américaine

☐ Les Bienveillantes

☐ J'ai épousé un communiste

☐ La Tache

**6. Lequel de ces termes ne désigne pas un mouvement pictural :**

☐ Expressionisme

☐ Symbolisme

☐ Fauvisme

☐ Naturisme

**7. Dans sa célèbre affiche de cabaret, le peintre Toulouse-Lautrec a mis à l'honneur...**

☐ La Goulue

☐ La Dodue

☐ La Danseuse nue

**8. Laquelle de ces "toiles fauves" n'est pas de Matisse ?**

☐ Le Lac

☐ La Fenêtre

☐ Nu bleu

☐ Luxe, calme et volupté

BOUILLON DE CULTURE

Robert de Niro et Al Pacino, deux grands acteurs connus par des rôles célèbres dans des films réalisés par Francis Ford Coppola, Brian de Palma et Martin Scorsese (entre autres). Pour chacun de ces films, retrouvez le nom de celui qui y joue et son réalisateur :

**1. Le Parrain 2**
est un film de ..................................................
          avec ..................................................

**2. Le Parrain 3**
est un film de ..................................................
          avec ..................................................

**3. Taxi Driver**
est un film de ..................................................
          avec ..................................................

**4. Les Incorruptibles**
est un film de ..................................................
          avec ..................................................

**5. Raging Bull**
est un film de ..................................................
          avec ..................................................

**6. Scarface**
est un film de ..................................................
          avec ..................................................

# TEST 25

Fred, Adel, Eli, et Tarik doivent traverser un pont en 17 minutes. Chacun marche à une vitesse maximale donnée. Fred peut traverser le pont en 1 minute, Adel traverse en 2 minutes, Eli en 5 minutes et Tarik en 10 minutes. Ces quatre personnes n'ont en tout qu'une torche et il est impossible de traverser le pont sans torche. Le pont ne peut supporter que le poids de 2 personnes.

**Dans quel ordre doivent traverser ces quatre personnes ?**

# TEST 26

Fabrice demande au serveur un whisky. Avec un petit verre d'eau glacée. Il verse deux doigts d'eau dans son whisky. Gérard n'a demandé qu'un verre d'eau. Il est trop jeune pour prendre du whisky. Fabrice verse deux doigts de son verre dans celui de Gérard. Ils ont donc versé de l'eau pure dans le whisky, puis un mélange de whisky et d'eau dans le verre d'eau. Et les récipients n'ont pas la même capacité.

**Y a-t-il maintenant plus d'eau dans le verre que de whisky dans l'eau ?**

☐ Oui

☐

## De quoi avez-vous peur ?

**1. Si vous souffrez d'anosmophobie, quelle est votre peur ?**
☐ La peur des animaux
☐ La peur de perdre l'odorat
☐ La peur des ossements

**2. Si vous souffrez de brontophobie, quelle est votre peur ?**
☐ La peur du tonnerre
☐ La peur des bronchites
☐ La peur du bronze

**3. Si vous souffrez de coïmetrophobie, quelle est votre peur ?**
☐ La peur du métro
☐ La peur des arbres
☐ La peur des cimetières

**4. Si vous souffrez de dromophobie, quelle est votre peur ?**
☐ La peur des dromadaires
☐ La peur de traverser la rue
☐ La peur des rêves

**5. Si vous souffrez d'eisophobie, quelle est votre peur ?**
☐ La peur de la lumière
☐ La peur des miroirs
☐ La peur de l'obscurité

**6. Si vous souffrez de fébriphobie, quelle est votre peur?**
☐ La peur du froid
☐ La peur des fibres
☐ La peur de la fièvre

**7. Si vous souffrez de galéphobie, quelle est votre peur?**
☐ La peur des chats
☐ La peur des chiens
☐ La peur des poules

**8. Si vous souffrez d'hématophobie, quelle est votre peur?**
☐ La peur des hématomes
☐ La peur du sang
☐ La peur du sel

**9. Si vous souffrez de Iatrophobie, quelle est votre peur?**
☐ La peur de l'atrophie
☐ La peur des médecins
☐ La peur des avocats

**10. Si vous souffrez de kénophobie, quelle est votre peur?**
☐ La peur du Kéno
☐ La peur des lutins
☐ La peur du noir

**11. Si vous souffrez de logophobie, quelle est votre peur?**
☐ La peur de parler
☐ La peur des logopèdes
☐ La peur d'être muet

**12. Si vous souffrez de musophobie, quelle est votre peur ?**

☐ La peur des musées
☐ La peur de la musique
☐ La peur des souris

**13. Si vous souffrez de nécrophobie, quelle est votre peur ?**

☐ La peur de la vieillesse
☐ La peur des morts
☐ La peur des dents

**14. Si vous souffrez d'ophiophobie, quelle est votre peur ?**

☐ La peur des œufs
☐ La peur des éléphants
☐ La peur des serpents

**15. Si vous souffrez de phasmophobie, quelle est votre peur ?**

☐ La peur des pharmacies
☐ La peur des fantômes
☐ La peur des phasmes

**16. Si vous souffrez de quintophobie, quelle est votre peur ?**

☐ La peur des crises de toux
☐ La peur des quinquagénaires
☐ La peur des catholiques

**17. Si vous souffrez de rupophobie, quelle est votre peur ?**

☐ La peur du désordre
☐ La peur de l'inconnu
☐ La peur de la saleté

**18. Si vous souffrez de sidérodromophobie, quelle est votre peur ?**

☐ La peur de la sidérurgie
☐ La peur des trains
☐ La peur des cendres

**19. Si vous souffrez de triskaïdékaphobie, quelle est votre peur ?**

☐ La peur d'être triste
☐ La peur du café
☐ La peur du chiffre 13

**20. Si vous souffrez de xénophobie, quelle est votre peur ?**

☐ La peur des étrangers
☐ La peur du xénon
☐ La peur du vide

**21. Si vous souffrez de zoophobie, quelle est votre peur ?**

☐ La peur des zoos
☐ La peur des zoologistes
☐ La peur des animaux

**22. Si vous souffrez d'arachnophobie, quelle est votre peur ?**

☐ La peur des arachides
☐ La peur des araignées
☐ La peur des perroquets

# TEST 28

Un crocodile s'est emparé d'un bébé et propose à la maman :
"Si tu devines ce que je vais faire, je te le rends, sinon je le
dévore." "Tu vas le dévorer", répond la mère.

**Que va-t-il se passer ?
Le crocodile va-t-il
dévorer le bébé ?**

■ Oui

■ Non

# TEST 29

Hélène distribue des graines aux oiseaux. Au premier
elle donne la moitié de ce qu'elle possède plus 1 graine.
Au deuxième elle donne la moitié de ce qui lui reste
plus 2 graines. Au troisième elle donne la moitié de
ce qui lui reste plus 3 graines.
Il lui reste alors 1 seule graine.
**Combien de graines avait-elle au début ?**

☐ 42

☐ 64

☐ 88

☐ 104

☐ 226

## TEST 30

Parmi les candidates d'un jeu télévisé, il reste seulement des chanteuses européennes, des Africaines et une Australienne. 5 chanteuses ne sont pas des Françaises,  6 ne sont pas des Anglaises, 6 ne sont pas des Africaines et 3 ne sont pas des Européennes.

**Combien y a-t-il de chanteuses différentes ?**

## TEST 31

Une grosse pierre, dans un bateau qui flotte sur le lac. Un homme jette la pierre dans le lac : elle coule.

**Que devient le niveau du lac ?**

- ☐ Il monte
- ☐ Il baisse
- ☐ Il ne change pas

# Comment ça s'écrit ?

- ☐ chlorydrique
- ☐ chlorhydrique
- ☐ clorhydrique
- ☐ chloridrique

- ☐ Hornithorynque
- ☐ Ornitorinque
- ☐ Ornithorynque
- ☐ Ornythorinque

## TEST 33

Je fus
demain,
je serai hier.
**Qui suis-je ?**

## TEST 34

Marie et Mariette ont reçu ensemble
50 bonbons. Mariette est bien peinée :
elle a moins de bonbons que Marie.
Le nombre de bonbons de Marie
multiplié par le nombre de bonbons
de Mariette est égal à 616.
Combien Marie et Mariette ont-elles
de bonbons ?

## TEST 35

Martine a fait tomber sa balle en plastique dans
un trou cylindrique creusé dans le potager.
Le diamètre du trou est plus large d'un millimètre
que sa balle mais il est assez profond, et trop
étroit pour que Martine puisse la récupérer
avec sa main.
**Comment fait-elle ? De quel outil peut-elle
se servir pour l'aider ? Il y a :**

□ Un bâton en bois
□ Un sac d'engrais plein
□ Un plantoir
□ Un arrosoir plein
□ Un sécateur

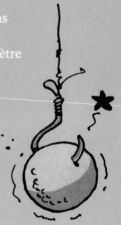

# TEST 36

## Que savez-vous sur les aphrodisiaques ?

**1.** Le mot "aphrodisiaque" vient d'Aphrodite, déesse grecque de l'amour.

- ☐ Vrai
- ☐ Faux

**2.** Les aphrodisiaques sont considérés par la communauté scientifique comme des médicaments.

- ☐ Vrai
- ☐ Faux

**3.** L'alcool est un bon aphrodisiaque.

- ☐ Vrai
- ☐ Faux

**4.** Le sel possède des vertus aphrodisiaques.

- ☐ Vrai
- ☐ Faux

**5.** Les qualités aphrodisiaques du chocolat ne sont "visibles" qu'après consommation d'une dizaine de kilos.

- ☐ Vrai
- ☐ Faux

**6.** Les produits aphrodisiaques servent à décupler les performances sexuelles.

- ☐ Vrai
- ☐ Faux

**7. L'ail est une plante qui fait partie de la liste des aphrodisiaques.**

       ☐ Vrai
       ☐ Faux

**8. L'une des boissons chaudes les plus aphrodisiaques est la verveine.**

       ☐ Vrai
       ☐ Faux

**9. Parmi les sauces couramment consommées, la mayonnaise est la plus aphrodisiaque d'entre elles.**

       ☐ Vrai
       ☐ Faux

**10. Les parfums stimulent le désir sexuel.**

       ☐ Vrai
       ☐ Faux

## TEST 37

Sur une étagère sont rangés dans l'ordre
(de gauche à droite) 5 volumes d'un roman,
chaque volume contenant 500 pages. Un petit ver
passe par là et décide de les manger. Il traverse
les livres de la première page du premier volume
à la dernière page du dernier volume.
**Combien de pages a traversé le ver ?**

- 2 500
- 2 002
- 1 502

## TEST 38

Quand après-demain sera hier, il nous faudra
autant de jours pour atteindre dimanche qu'il
nous en a fallu quand avant-hier était demain,
pour que nous soyons aujourd'hui.

**Quel jour sommes-nous ?**

## TEST 39

Sur un échiquier (64 cases), on retire deux cases en coin diamétralement opposées. Un domino recouvrant deux cases, peut-on recouvrir les 62 cases restantes avec des dominos ?

☐ Oui
☐ Non

## TEST 40

Dans la pâtisserie d'Églantine, on ne prépare que des pièces montées pour les mariages. D'habitude, ses trois pâtissières parviennent à confectionner en tout 4 pièces montées de 5 kilos chacune en 6 jours. Cela dit, sa boutique a tant de succès qu'elle vient d'embaucher 1,5 pâtissière de plus (une qui travaille à temps complet, et une autre à mi-temps).

**Mais combien ses 4,5 pâtissières pourront-elles confectionner de pièces montées de 4,5 kilos en 4,5 jours ?**

(On suppose bien sûr que le temps de préparation d'une pièce montée est proportionnel à son poids !)

☐ 5          ☐ 10
☐ 8          ☐ 12

**TEST 41**

**Citations**

**1. Complétez cette phrase : "Les beaux textes valent mieux que les beaux..."**

☐ Discours

☐ Chèques

☐ Mecs

**2. Qui en est l'auteur ?**

☐ Marguerite de Yourcenar

☐ Anna Gavalda

☐ Jules Verne

**3. Poursuivez cette citation : "Écrire l'Histoire, c'est foutre la pagaille..."**

☐ Sur le tableau

☐ Dans un pays

☐ Dans la géographie

**4. Qui en est l'auteur ?**

☐ Daniel Pennac

☐ Jean Cocteau

☐ Amélie Nothomb

**5. Complétez cette citation extraite de "La Divine Comédie" : "Laisse se gratter ceux qui..."**

☐ Sont sales

☐ Ont la gale

☐ Râlent

**6. Qui en est l'auteur ?**

☐ Dante

☐ William Shakespeare

☐ Voltaire

**7. Complétez cette phrase : "Faut pas parler aux cons,..."**

☐ Ça les abrutit

☐ Ça les instruit

☐ Ça les séduit

**8. Qui en est l'auteur ?**

☐ Michel Audiard

☐ Georges Lautner

☐ Le Professeur Choron

# TEST 42

Sybille et Amandine se reposent dans un café parisien.
Sybille prend une tasse de thé et Amandine prend une
même tasse de lait. "Je te donne
une cuillerée de thé dans ton lait"
dit Sybille. "OK" répond
Amandine, "et maintenant
je vais te donner une cuillerée
de mon lait au thé dans ton thé."
Sybille a-t-elle moins de lait dans
son thé qu'Amandine n'a de thé
dans son lait ?

- ■ Oui
- ■ Non

# TEST 43

Miss Jenny, le fameux agent secret anglais, est kidnappée.
On lui bande les yeux et on l'endort. Quand elle se réveille,
toute endolorie, elle ne sait ni quel jour on est, ni où elle
est. Jenny est enfermée dans une pièce sans fenêtres, avec
juste un lit et un lavabo. Pourtant, très vite, elle réussit à
comprendre avec certitude qu'elle se trouve à des milliers
de kilomètres de chez elle.

**Comment peut-elle en être sûre ?**

# TEST 44

Elvire veut connaître le code d'ouverture d'un casier. Personne ne veut lui donner ce code. Elle questionne à gauche et à droite et finit par recueillir les indices suivants :

1. Le dernier chiffre est 3, 6 ou 7.
2. La somme des deux premiers chiffres est 13.
3. Le quatrième chiffre est impair.
4. La somme du premier et du dernier chiffre est 9.
5. Tous les chiffres sont différents et il n'y a pas de zéro.
6. La somme des cinq chiffres est 21.

**Trouvez le code d'ouverture.**

# TEST 45

Jeanne et Nadia jouent à un jeux à deux. Sur une table, onze allumettes sont posées. Elles ont le droit à chaque prise de prendre 1, 2 ou 3 allumettes. Celle qui ramasse la dernière allumette perd.

Sachant que Nadia commence, combien d'allumettes doit-elle prendre pour gagner à coup sûr ?

■ 1
■ 2
■ 3

## TEST 46

Charlotte s'entraîne à la course à pied avec Myrtille. Elles entament un 100 mètres et courent l'une et l'autre d'un pas régulier. Charlotte atteint la ligne d'arrivée au moment où Myrtille passe la marque des 95 mètres. Myrtille veut sa revanche. Charlotte accepte, et lui propose même de partir 5 mètres en arrière de la ligne de départ. La course commence...
En admettant que chacune conserve le même rythme sur toute la distance, et qu'elles courent à la même vitesse que dans la course précédente, **qui gagnera ce second 100 mètres ?**

- ☐ Charlotte
- ☐ Myrtille

## TEST 47

Cinq voyelles, une consonne, en français, composent mon nom. Et je porte, sur ma personne, de quoi l'écrire sans crayon.

## TEST 48

Un fermier met 6 chèvres dans 4 enclos. Aucun enclos n'est vide. Aucun enclos ne contient un nombre impair de chèvres. **Comment réussit-il ?**

Camille termine la maquette d'un livre pour son éditeur. Elle s'apprête alors à compter le nombre de chiffres qui ont été nécessaires pour paginer ce livre. Ainsi, après avoir écrit le numéro de la page 9, elle a écrit 9 chiffres. Après avoir écrit le numéro 10, elle a écrit 11 chiffres. Après avoir écrit le numéro 11, elle a écrit 13 chiffres, etc. Elle a écrit en tout 228 chiffres.

**Combien ce livre possède-t-il de pages ?**

# Testez vos connaissances artistiques

**1. Lequel de ces romans n'a pas été écrit par Amélie Nothomb ?**

☐ Hygiène de l'assassin
☐ Vol de nuit
☐ Mercure
☐ Robert des noms propres

**2. Laquelle de ces récompenses n'est pas décernée par le Prix Femina ?**

☐ Catégorie roman français
☐ Catégorie roman étranger
☐ Catégorie essai
☐ Catégorie nouvelle

**3. Laquelle de ces sculptures n'est pas de Camille Claudel ?**

☐ L'Âge mûr
☐ L'Âge d'airain
☐ Profonde Pensée
☐ La Vague

**4. Qui ne représente pas l'impressionnisme ?**

☐ Pissaro
☐ Sysley
☐ Degas
☐ Vincent Van Gogh

**5. Lequel de ces personnages n'est pas un architecte ?**

☐ Le Corbusier
☐ Antoine Bourdelle
☐ Carlos Ott
☐ Antonio Gaudi

**6. Qui n'est pas le fondateur de l'art abstrait ?**

☐ Kandinsky
☐ Malevitch
☐ Duchamp
☐ Mondrian

## TEST 51

"C'est une jeune fille qui rampe, qui vole, qui marche. Elle emprunte à la lionne son allure et ses bonds. Par-devant, on voit une femme ailée, au milieu, une lionne frémissante, par-derrière un serpent qui s'enroule. Ce n'est cependant ni un serpent, ni une femme, ni un oiseau, ni une lionne. Car fille, elle est sans pieds, lionne, elle n'a pas de tête. C'est un mélange confus d'êtres divers, et des parties imparfaites forment un tout complet."

**Qui est-elle ?**

Alfred Hitchcock avait une préférence pour les actrices blondes. Pour chacun de ces films retrouvez le nom de celle qui y joue.

1. **La Main au collet**
2. **Psychose**
3. **Pas de printemps pour Marnie**
4. **La Mort aux trousses**
5. **Sueurs froides**
6. **L'homme qui en savait trop**

**Kim Novak**

film n° :

**Doris Day**

film n° :

**Janet Leigh**

film n° :

**Grace Kelly**

film n° :

**Eva Marie Saint**

film n° :

**Tippi Hedren**

film n° :

Aïda vit à Poitiers. Myriam, une de ses amies, vit à Copenhague. Cette dernière se rend souvent à Paris pour affaires et essaye à chaque fois de revoir Aïda. Par manque de temps, elles se donnent rendez-vous à Tours. Paris est à 240 km de Tours et à 340 km de Poitiers. Aïda, qui ne prend jamais l'autoroute, roule à une vitesse moyenne de 50 km/h. Myriam, elle, prend l'autoroute, mais elle roule à une vitesse moyenne de 100 km/h, seulement.

Si elles partent toutes les deux à la même heure, laquelle des deux arrive la première à Tours et **combien de temps doit-elle attendre son amie ?**

☐ Myriam et 18 min
☐ Aïda et 24 min
☐ Myriam et 36 min
☐ Aïda et 12 min

## TEST 1

Pierre, Paul et Jacques terminent un jeu qui s'est déroulé en cinq manches. Ils ont joué avec des pièces de 1 euro et n'ont donc eu, au cours de la partie, que des sommes entières. À chaque manche, le perdant a doublé les avoirs des deux autres.

À la fin de la partie, Pierre a 8 euros, Paul 9 et Jacques 10.

**Combien avait chacun au début ?**

Pierre [ ]     Paul [ ]     Jacques [ ]

## TEST 2

J'ai quatre fois l'âge que vous aviez, quand j'avais l'âge que vous avez.
J'ai quarante ans, quel âge avez-vous ?

## TEST 3

Un champ blanc, une semence noire, 5 hommes sèment, sous la direction de deux autres, la meilleure nourriture qui soit.
Quelle est cette nourriture ?

MOI ?! 45 ANS !

## TEST 4

En Papouasie, il y a des "Papous"
et des "pas-Papous".
Parmi les "Papous" il y a
des "papas Papous" et
des "Papous pas papas".
Mais il y a aussi des "papas pas Papous"
et des "pas Papous pas papas".
De plus, il y a des "Papous pas papas à poux"
et des "papas pas Papous à poux".
Mais il n'y a pas de "papas Papous à poux"
ni de "pas Papous pas papas à poux".
Sachant qu'il y a 240 000 poux (en moyenne 10 par tête)... et qu'il
y a 2 fois plus de "pas Papous à poux" que de "Papous à poux",
déterminer le nombre de "Papous pas papas à poux" et en déduire
le nombre de "papas pas Papous à poux" !

## TEST 5

Jean-Baptiste a choisi un nombre de trois chiffres...
Le premier chiffre est divisible par 3.
Le nombre formé par les deux
premiers chiffres est divisible par 5.
Le nombre formé par les trois
chiffres est divisible par 8.
Le nombre a deux chiffres
identiques.
Quel est ce nombre ?

- ■ 121
- ■ 458
- ■ 656

# TEST 6

## Auraient-ils pu le faire ?

**1. Louis Pasteur (1822-1895) aurait-il pu s'éclairer à la lampe à néon ?**

&#9633; oui
&#9633; non

**2. Guy de Maupassant (1850-1893) aurait-il pu jouer du saxophone ?**

&#9633; oui
&#9633; non

**3. Émile Zola (1840-1902) aurait-il pu boire un Coca-Cola ?**

&#9633; oui
&#9633; non

**4. Georges de La Tour (1593-1652) aurait-il pu tuer quelqu'un avec un revolver ?**

&#9633; oui
&#9633; non

**5. Frédéric Chopin (1810-1849) aurait-il pu manger une conserve ?**

&#9633; oui
&#9633; non

**6. George Washington (1732-1799) aurait-il pu prendre un transport aérien ?**

☐ oui
☐ non

**7. Abraham Lincoln (1809-1865) aurait-il pu passer un coup de téléphone ?**

☐ oui
☐ non

**8. Marcel Proust (1871-1922) aurait-il pu regarder la télévision ?**

☐ oui
☐ non

## TEST 7

Sylvain est ethnologue. Il étudie les habitants d'une contrée lointaine, où vivent deux tribus : l'une dont les membres mentent toujours, et l'autre dont les membres disent toujours la vérité. Sylvain veut se rendre au village de la tribu de la vérité, il arrive à l'embranchement d'une route qui se subdivise en deux. Ne sachant quelle direction prendre, il attend. Vient à passer un autochtone. Mais il ne sait pas à quelle tribu appartient ce passant.
**Quelle question doit-il lui poser pour savoir quelle route conduit au village de la tribu de la vérité ?**

## TEST 8

"Passants, pleurez sur nous : car nous sommes les convives que la maison d'Antiochus a écrasés dans sa chute, et auxquels Dieu a donné ce lieu de festin et de sépulture. Nous gisons ici, quatre de Tégée, douze de Messène et d'Argos cinq. Sparte avait fourni en sus la moitié des invités. Antiochus, notre hôte, a péri éga-lement et avec lui des Athéniens au nombre du cinquième du cinquième. Corinthe, tu n'as à pleurer que le seul Hylas."
**Combien y a-t-il eu de victimes ?**

- ☐ 25
- ☐ 50
- ☐ 75

## TEST 9

Félix, Sébastien et Julien partent deux jours, en camping au bord d'un lac. Mais il est interdit de couper des arbres. C'est pourquoi Félix et Sébastien ont tous les deux chargé des bûches dans leurs voitures respectives, afin de pouvoir faire des feux de bois le soir. Le premier jour, Félix a mis 5 bûches de sa réserve personnelle, et cela a suffi pour faire un bon feu. Le second jour, c'est Sébastien qui a pris 3 bûches dans sa voiture. Au moment de repartir, Julien tient à rembourser ses amis pour les bûches ! D'après ses comptes, il leur doit 8 euros.
**Comment Félix et Sébastien se répartiront-ils les 8 euros ?**

Le président de la République, le Premier ministre et le ministre de l'Économie sont arrêtés et traînés devant le tribunal. À la fin du procès, le juge s'adresse à chacun des accusés, il dit :

Au président : "Si vos deux ministres reçoivent la même sentence, alors vous serez limogé."

Au Premier ministre : "Si le président et le ministre de l'Économie et des Finances ont la même condamnation, alors vous serez emprisonné."

Au ministre de l'Économie et des Finances : "Si le président et le Premier ministre ont des condamnations différentes, alors vous serez libéré."

Le juge prononce ensuite les sentences : "Dès demain, l'un de vous sera limogé, un autre emprisonné et le troisième libéré."

**Qui écope de quoi ?**

# Testez vos connaissances en histoire

**1. En quelle année l'ONU a-t-elle adopté la Déclaration universelle des droits de l'homme ?**

☐ 1948
☐ 1789
☐ 1968

**2. À quelle date célèbre-t-on tous les ans la Journée internationale des droits de l'homme ?**

☐ Le 14 juillet
☐ Le 10 décembre
☐ Le 1er mai

**3. Il s'agit de la "Déclaration universelle des droits de l'homme et... "**

☐ De la femme
☐ De l'enfant
☐ Du citoyen

**4. Quelle est la première phrase du premier article de la Déclaration universelle ?**

☐ Tous les êtres humains naissent libres et égaux en dignité et en droits.

☐ Tout individu a droit à la vie, à la liberté et à la sûreté de sa personne.

☐ Nul ne sera soumis à la torture, ni à des peines ou traitements cruels, inhumains ou dégradants.

**5. Lors de quel événement français a été rédigée pour la première fois la Déclaration universelle des droits de l'homme ?**
☐ Mai 68
☐ La Fronde
☐ La Révolution française de 1789

**6. Quel écrivain a inspiré l'idée de distinction des pouvoirs politiques (législatif, exécutif et judiciaire) ?**
☐ Voltaire
☐ Montesquieu
☐ Rousseau

**7. Qui a écrit : "L'homme est né libre, et partout il est dans les fers" ?**
☐ Rousseau
☐ La Fayette
☐ Diderot

**8. Que signifie le mot "dictateur" ?**
☐ Celui qui commande
☐ Celui qui parle
☐ Celui qui est en colère

**9. Quelle grande époque voit naître les premières dictatures ?**
☐ La Rome antique
☐ Le Moyen Age
☐ Le XXe siècle

**10. Dans le film de Charlie Chaplin, le dictateur joue avec un ballon en forme...**
☐ De tête
☐ De bombe
☐ De Terre

# TEST 12

La circonférence de la Terre est de 40 000 km environ.
Imaginons une corde de cette longueur et enroulons-la tout autour de la Terre, en supposant que celle-ci soit totalement lisse. Si la corde était accrochée à des poteaux de 1 m de haut tout autour de la Terre, la circonférence
du cercle décrit par la corde augmenterait.
**De quelle longueur de corde supplémentaire aurions-nous besoin ?**

- ☐ 6,28 m
- ☐ 7,48 m
- ☐ 9,88 m

# TEST 13

De quatre fontaines, l'une remplit un bassin en un jour, l'autre en deux, l'autre en trois, la quatrième en quatre jours.
**En combien de temps, toutes ensemble, rempliraient-elles le bassin ?**

# TEST 14

Quatre amis, Ivan, Christian, Stéphane, Pat, ont quatre motos : Ducati, Triumph, Kawasaki, Harley.

1. Chacun possède une moto de l'une des marques indiquées.
2. Chacun aime sa moto, sauf la Ducati, qui ne l'est pas de la part de son propriétaire.
3. Aucun ne veut vendre sa moto, sauf Ivan.
4. Christian voudrait acheter la Kawasaki, mais cette dernière n'est pas à vendre.
5. Pat veut acheter la Harley. Il désire également la moto de Christian, car il n'aime pas la sienne.

**Qui possède la Kawasaki ?**

# TEST 15

## Énigme de Lewis Carroll

"Il n'y a pas de chat non dressé aimant le poisson.
Il n'y a pas de chat sans queue jouant avec un gorille.
Les chats avec moustaches aiment toujours le poisson.
Il n'y a pas de chat dressé aux yeux verts.
Il n'y a pas de chat avec une queue,
à moins d'avoir des moustaches."

**Les chats aux yeux verts jouent-ils avec les gorilles ?**

☐ Oui
☐ Non

## TEST 16

## L'énigme d'Einstein

Il y a cinq maisons de 5 couleurs différentes. Dans chaque maison vit une personne de nationalité différente. Chacun des 5 propriétaires boit un certain type de boisson, fume un certain type de cigare et garde un certain animal domestique.

1. L'Anglais vit dans une maison rouge.
2. Le Suédois a des chiens comme animaux domestiques.
3. Le Danois boit du thé.
4. La maison verte est à gauche de la maison blanche.
5. Le propriétaire de la maison verte boit du café.
6. La personne qui fume des Pall Mall a des oiseaux.
7. Le propriétaire de la maison jaune fume des Dunhill.
8. La personne qui vit dans la maison du centre boit du lait.
9. Le Norvégien habite la première maison.
10. L'homme qui fume les Blend vit à côté de celui qui a des chats.

11. L'homme qui a un cheval est le voisin de celui qui fume des Dunhill.

12. Le propriétaire qui fume des Blue Master boit de la bière.

13. L'Allemand fume des Prince.

14. Le Norvégien vit juste à côté de la maison bleue.

15. L'homme qui fume des Blend a un voisin qui boit de l'eau.

**Qui a le poisson ?**

☐ L'Anglais

☐ Le Suédois

☐ L'Allemand

☐ Le Danois

☐ Le Norvégien

## TEST 17

En cette année bissextile, le 29 février 1684, la cathédrale des Saints-Pères était inaugurée après 20 ans de travaux. Chaque 29 février, une cérémonie spéciale marque cette inauguration. Les premières cérémonies ont eu lieu aux dates suivantes :

29 février 1688, 29 février 1692, 29 février 1696, 29 février 1704.

**Combien y a-t-il eu de cérémonies spéciales entre l'inauguration et le 1ᵉʳ mars 2000 ?**

☐ 158

☐ 122

☐ 76

**1. Albert Einstein n'a jamais reçu le Prix Nobel.**
  ☐ Vrai
  ☐ Faux

**2. L'onychophagie est le fait de se ronger les ongles.**
  ☐ Vrai
  ☐ Faux

**3. Aristote était un disciple de Platon.**
  ☐ Vrai
  ☐ Faux

**4. Le zéro absolu correspond à –283° Celsius.**
  ☐ Vrai
  ☐ Faux

**5. Jean-Sébastien Bach n'a jamais composé d'opéras.**
  ☐ Vrai
  ☐ Faux

**6. Le requin-lézard n'existe pas.**
  ☐ Vrai
  ☐ Faux

**7. Léon Daudet fut membre de l'Académie Goncourt.**

☐ Vrai
☐ Faux

**8. Phnom Penh est la capitale de la Birmanie.**

☐ Vrai
☐ Faux

**9. Les Zombies était un groupe américain.**

☐ Vrai
☐ Faux

**10. Le Coran n'a jamais été traduit en hébreu.**

☐ Vrai
☐ Faux

**11. Woody Allen a réalisé le film "Celebrity".**

☐ Vrai
☐ Faux

# TEST 19

Zaccharie, Chan, Samir et Michel assistent à un accident routier : une citerne, de 10 m de long et 2 m de haut, s'est renversée sur la route. Cette citerne, pleine de vin, perd tout son contenu sur la route. Face à ce gâchis, une discussion s'engage entre les quatre amis pour savoir combien de bouteilles de vin cette perte représente.

Selon Zaccharie, il en faudrait près de 10 000.

Pour Chan, c'est beaucoup trop : 5 000 bouteilles suffiraient.

Samir pense que ce n'est vraiment pas assez : selon lui, il en faudrait 20 000.

Michel, quant à lui, estime que 30 000 bouteilles seraient nécessaires.

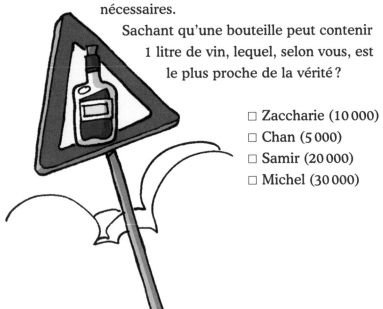

Sachant qu'une bouteille peut contenir 1 litre de vin, lequel, selon vous, est le plus proche de la vérité ?

□ Zaccharie (10 000)
□ Chan (5 000)
□ Samir (20 000)
□ Michel (30 000)

## TEST 20

Elie veut repeindre sa chambre en gris. Il ne dispose que d'un pot neuf contenant 3 litres de peinture noire, et d'un pot de 3 litres entamé dans lequel il reste 2 litres de peinture blanche, mais d'aucun récipient pour les mélanger. Il a aussi un verre doseur gradué contenant au maximum 1,5 litre. Or il sait qu'il aura besoin de 5 litres de peinture grise, parfaitement homogène, pour éviter des dégradés hasardeux.

**Comment va-t-il faire pour que, dans quelques minutes, les deux pots ne contiennent plus que de la peinture grise de la même nuance ?**

## TEST 21

## Trouvez ce qui caractérise ces phrases :

Portez ce whisky au vieux juge blond qui fume.
Servez à ce monsieur une bière hollandaise et des kiwis.
Voyez ce bon fakir moqueur pousser un wagon en jouant du xylophone.
Zoé ma grande fille veut que je boive ce whisky dont je ne veux pas.

## TEST 22

Une fermière vend la moitié de ses œufs et la moitié d'un
œuf à un premier client, puis de même à un deuxième et
à un troisième client. À la fin, il lui reste trois œufs.
Combien avait-elle d'œufs
au départ si elle n'en a
cassé aucun ?

- ☐ 13
- ☐ 23
- ☐ 31
- ☐ 55
- ☐ 59
- ☐ 71

## TEST 23

Je suis plus puissant que Dieu.

Je suis plus méchant que le diable.

Le pauvre en possède.

Le riche en manque.

Et si vous me mangez,

vous mourrez.

**Qui suis-je ?**

Une bonne amie vous doit 1 860 euros.
Vous voulez bien lui faciliter les
choses. Elle vous remboursera en
un an aux conditions suivantes :
elle règle le premier mois la
somme de 100 euros, ensuite,
chaque mois, une somme de plus
que le mois précédent, jusqu'au douzième, qui complétera
le paiement.

**Quelle est cette somme dont le paiement de chaque
mois doit être augmenté ?**

2 heures du mat. Hélène a du mal à trouver le sommeil, car
ses voisins font la fête. Tout à coup, un bouchon saute, et
tout le monde trinque. Hélène entend distincte-
ment, les cloisons sont minces, 28 tintements de verres.
**Combien y a-t-il de convives à la
réception ?**

- ☐ 24
- ☐ 16
- ☐ 12
- ☐ 10
- ☐ 8
- ☐ 6

# TEST 26

Lors d'un voyage, Ariane, Melissa et Karine se rencontrent dans l'avion. En arrivant à Djerba, elles vont dans trois hôtels différents : le Miramar, le Palm Beach, et le Maritim.
Les numéros de chambre sont 305, 419, 538.
Sachant que la cliente du Maritim quitte sa chambre 419, pour aller faire des emplettes, qu'une heure plus tard, elle va rencontrer Melissa, qui loge au Miramar, et que pendant ce temps Karine regarde la télévision dans sa chambre 538, déterminez le nom de l'hôtel et le numéro de chambre de chacune.

**Melissa :**
Hôtel : ................................................ N° de chambre : ...............

**Karine :**
Hôtel : ................................................ N° de chambre : ...............

**Ariane :**
Hôtel : ................................................ N° de chambre : ...............

## TEST 27

L'ange Yophiel a perdu son chemin et se trouve devant deux portes. L'une mène au paradis, l'autre en enfer. Devant chaque porte se trouve un gardien qui ne sait dire que oui ou non. Yophiel sait qu'un des deux gardiens ment toujours et que l'autre dit toujours la vérité. Mais il ne sait pas lequel ment ni lequel dit la vérité. Il a droit à une seule question.

**Que doit-il demander à l'un des deux gardiens afin de trouver la porte du paradis ?**

## TEST 28

Marine participe à un jeu de piste. Elle a trouvé une clé avec un code secret, sur un bout de papier. Dessus est inscrit : "Soustrais soixante-dix millièmes à soixante-dix millièmes, et multiplie le résultat obtenu par 1000. Puis ajoute le double de ton année de naissance augmenté de 15 et soustrais le double de ton année de naissance augmentée de 15.
Tu obtiendras ta prochaine étape !".

**À quel numéro du parcourt doit-elle se rendre ?**

☐ 49          ☐ 117
☐ 61          ☐ 203
☐ 107         ☐ 251

# TEST 29

## Auraient-elles pu le faire :

**1. Marie Curie (1867-1934) aurait-elle pu s'éclairer à la lampe à néon ?**

☐ oui
☐ non

**2. George Sand (1804-1876) aurait-elle pu jouer du saxophone ?**

☐ oui
☐ non

**3. La Comtesse de Ségur (1799-1874) aurait-elle pu manger une conserve ?**

☐ oui
☐ non

**4. Sarah Bernhardt (1844-1923) aurait-elle pu boire un Coca-Cola ?**

☐ oui
☐ non

**5. George Sand (1804-1876) aurait-elle pu prendre un transport aérien ?**

☐ oui
☐ non

**6. Joséphine de Beauharnais (1763-1814) aurait-elle pu passer un coup de téléphone ?**

☐ oui
☐ non

**7. Jane Austen (1775-1817) aurait-elle pu regarder la télévision ?**

☐ oui
☐ non

**8. Sissi (1837-1898) aurait-elle pu être assassinée d'un coup de revolver ?**

☐ oui
☐ non

## TEST 30

Toute la basse-cour est réunie pour le repas du soir. Placés en rond autour de la bassine pleine de maïs, coqs, oies et canards picorent avidement sans se préoccuper de leurs voisins.

5 oies ont un canard à leur gauche.

7 coqs ont une oie à leur droite.

3 canards ont un coq à leur droite.

3 canards sont placés entre deux oies, mais aucun ne se retrouve entre deux coqs.

Et il n'y a jamais deux oies, deux coqs ou deux canards côte à côte.

**Combien y a-t-il d'oies ? de coqs ? et de canards ?**

oies :          coqs :          canards :

**1. Quel nom portait le vaisseau sabordé en 1985, et qui appartenait à l'organisation écologiste Greenpeace ?**
☐ Le Window Warrior
☐ Le Shadow Warrior
☐ Le Rainbow Warrior

**2. À quelle date est célébrée chaque année la Journée mondiale de l'environnement ?**
☐ Le 5 octobre
☐ Le 5 février
☐ Le 5 avril
☐ Le 5 juin

**3. De quel syndicat agricole José Bové est-il un élu ?**
☐ La FNSEA
☐ La Force anti-MacDo
☐ La Confédération paysanne
☐ La Fédération verte

**4. Pour une tonne de plastique recyclée, on économise :**
☐ 2 kg de pétrole brut
☐ 800 kg de pétrole brut
☐ 10 tonnes de pétrole brut

**5. La mascotte de WWF, première organisation mondiale de protection de la nature, est un :**
☐ Panda
☐ Koala
☐ Ours blanc

**6. Qui a dit : "Soyez vous-même le changement que vous voudriez voir dans le monde" ?**
☐ Nelson Mandela
☐ Martin Luther King
☐ Mahatma Gandhi

**7. Prendre un bain plutôt qu'une douche consomme plus d'eau : dans quelles proportions ?**
☐ 2 fois plus
☐ 6 fois plus
☐ 10 fois plus

**8. Que signifie le sigle O.G.M. ?**
☐ Organisme génétiquement modifié
☐ Organisation du génome modifié
☐ Organe génétiquement modulable
☐ Organisation générale du maïs

**9. Quelle ville a accueilli, en 1993, la première expérience internationale d'utilisation de véhicules électriques au quotidien ?**
☐ Paris
☐ Bayonne
☐ La Rochelle
☐ Grenoble

**10. Combien un robinet qui fuit goutte à goutte gaspille-t-il de litres d'eau par an ?**
☐ 350 litres
☐ 3 500 litres
☐ 35 000 litres

Sentant sa fin proche, un vieux cheik indiqua ses dernières volontés à son sage conseiller. Il désirait ainsi partager son cheptel : la moitié pour son fils aîné, le tiers au deuxième et enfin le neuvième au cadet.

Malheureusement, à son décès, son troupeau se composait de 17 dromadaires...

Alors le sage conseiller emprunta un dromadaire au voisin. Il avait donc 18 bêtes, qu'il partagea ainsi : la moitié, soit 9 pour l'aîné, le tiers, soit 6 pour le deuxième, et enfin le neuvième, soit 2, pour le cadet. Et comme 9 + 6 + 2 = 17... il rendit le 18e animal à son propriétaire. Et chacun des héritiers eut la satisfaction de recevoir plus que son père ne leur avait attribué. Le premier reçut 1/2 animal en plus (9 au lieu de 8,5), le deuxième 1/3 de dromadaire en plus et le dernier 1/9 en plus...

Paradoxal ? Mais le vieux conseiller était très sage, il n'a pas commis d'injustice !

À vous de le prouver...

# TEST 33

Mme Isadora, épicière, se trouve confrontée à un problème. Sa balance électronique est en panne et elle ne dispose que d'une vieille balance à double plateau dont elle a égaré tous les poids. Elle doit remiser huit petits sacs d'épices qui ont tous un poids rigoureusement identique, sauf un, qui est plus lourd.

**Comment peut-elle faire pour savoir quel est le sac le plus lourd en seulement deux pesées ?**

# TEST 34

Décidément, l'anniversaire de Sidonie tourne au désastre ! À une extrémité de la salle, les garçons ruminent devant leurs verres vides, délaissant les filles qui, à l'autre extrémité, s'arrachent les dernières miettes de petits-fours en critiquant à voix basse l'organisation de la soirée. Il faut dire qu'en proportion, pour 3 filles, il y avait exactement 5 garçons. De plus, il n'y avait que 5 verres de cocktail pour 6 garçons, et 3 petits-fours pour quatre filles !

**Mais combien Sidonie avait-elle confectionné de petits-fours, sachant qu'il y avait moins de 100 invités ?**

- ☐ 27
- ☐ 37
- ☐ 41
- ☐ 43
- ☐ 59

## TEST 35

"Je suis une Minerve d'or massif dont le poids s'exprime en talents. Le métal est un don de jeunes poètes. Charisius en a fourni la moitié. Thespia, la huitième partie. Solon, la dixième. Thémison, la vingtième. Les neuf autres talents et l'œuvre même de ma statue, on les doit à Aristonice."

**Quel est son poids ?**

- ◾ 12 Talents
- ◾ 20 Talents
- ◾ 32 Talents
- ◾ 40 Talents

## TEST 36

La montre de Prunelle avance d'une seconde par heure. Celle de Clémentine retarde d'une seconde et demie par heure.
À l'instant, elles indiquent la même heure.

**Quand auront-elles la même heure de nouveau ?**
**Quand seront-elles à l'heure de nouveau ?**

# TEST 37

Marie veut repeindre les murs de sa chambre et demande à sa sœur Julie de l'aider. La pièce (rectangulaire) fait 3 m de large et 5 m de long. Le plafond est à une hauteur de 2,50 m. Avant d'aller acheter leur peinture, Marie et Julie doivent déterminer la  surface qu'elles auront à peindre. Bricoleuses amateurs, elles décident de prévoir large, en considérant que les murs sont entiers, c'est-à-dire sans fenêtre et sans porte. Mais Marie et Julie ne sont pas très à l'aise avec l'arithmétique : elles ont besoin de votre aide pour le calcul de la surface. Selon vous, quelle surface devront-elles peindre ?

☐ 35 m²      ☐ 28 m²
☐ 40 m²      ☐ 32 m²
☐ 42 m²      ☐ 44 m²
☐ 36 m²      ☐ 52 m²

# TEST 38

Descartes est mort à l'âge de 54 ans, 65 ans avant la mort de Malebranche. Celui-ci est décédé 53 ans après Pascal. Bossuet est né en 1627, 4 ans après la naissance de Pascal. Ce dernier est né 27 ans après Descartes. Bossuet est mort 66 ans après la naissance de Malebranche, lui-même né 24 ans avant la mort de Pascal.

**En quelle année Bossuet est-il mort ?**

■ 1638      ■ 1704
■ 1696      ■ 1709

# TEST 39

Cette histoire s'est déroulée il y a fort longtemps... Un calife possède 5 esclaves :

2 avec des yeux noirs et 3 avec des yeux bleus. Beremiz, un calculateur prodige, doit découvrir la couleur des yeux de chacune en interrogeant 3 d'entre elles, mais en ne posant qu'une seule question à chacune des 3. Le calife rappelle que les esclaves aux yeux noirs disent toujours la vérité, que celles aux yeux bleus mentent systématiquement et ne disent jamais la vérité. Un haïk les couvre de la tête aux pieds. Il est impossible de distinguer le visage ou le moindre trait des 5 jeunes filles.

Le calculateur prodige demande à la première : De quelle couleur sont tes yeux ? Mais la jeune femme répond dans une langue inconnue de Beremiz. Désorienté par ce contre-temps, Beremiz se tourne vers la deuxième esclave et lui demande :

– Quelle a été la réponse de ta voisine ?

– Elle t'a dit : "Mes yeux sont bleus", affirme la jeune femme.

Beremiz se tourne vers la troisième, qui se trouve au milieu des autres, et demande :

– Quelle est la couleur des yeux des deux jeunes filles que je viens d'interroger ?

"La première a les yeux noirs et la seconde les yeux bleus", répond cette troisième esclave.

Alors Beremiz réfléchit quelques minutes et affirme :

– J'ai résolu le problème et je peux énoncer avec certitude la couleur des yeux de chaque jeune fille.

**Comment a-t-il deviné ?**

## TEST 40

Un joyeux groupe de Corses, hommes, femmes et enfants, décide d'aller randonner dans le maquis. Comme ce n'est pas la porte à côté, ils prennent des voitures pour s'y rendre. Ils se répartissent dans les mêmes proportions dans différents véhicules.

Chaque enfant se retrouve avec deux femmes et un homme, et chaque femme avec un homme et trois enfants. Au total, il y a neuf enfants.

**Combien y a-t-il de voitures, de femmes, d'hommes ?**

## TEST 41

Camille part en randonnée avec deux de ses amies. Celles-ci ont proposé de préparer et d'avancer l'argent pour le pique-nique. Et pour le repas, Milène sort 7 mini-sandwichs de son sac, et Pauline a fait 5 sandwichs au pain de mie. Toutes les trois mangent chacune 4 sandwichs. À la fin de la promenade, Camille donne 7 euros à Milène et 5 euros à Pauline.

Ce partage est-il équitable ?

■ Oui
■ Non

**1. Les décabristes (ou décembristes) étaient des révolutionnaires polonais.**
☐ Vrai
☐ Faux

**2. Fernand Raynaud est mort dans un accident de voiture.**
☐ Vrai
☐ Faux

**3. Aucune femme n'a jamais marché sur la Lune.**
☐ Vrai
☐ Faux

**4. Gérald Ford a été président des États-Unis.**
☐ Vrai
☐ Faux

**5. Roger Corman a réalisé "La Petite Boutique des horreurs".**
☐ Vrai
☐ Faux

**6. Le vrai nom de Lénine était Vladimir Ilitch Djougachvili.**

    ☐ Vrai
    ☐ Faux

**7. Françoise Giroud était agent de liaison dans la Résistance.**

    ☐ Vrai
    ☐ Faux

**8. Manon Lescaut inspira au chevalier Des Grives une passion dévorante qui le mena jusqu'en enfer.**

    ☐ Vrai
    ☐ Faux

**9. Dans "Tristan et Iseult", le jeune amoureux épouse Iseult la blonde.**

    ☐ Vrai
    ☐ Faux

**10. Le mole poblano est un plat mexicain.**

    ☐ Vrai
    ☐ Faux

**11. Le groupe The Cure est d'origine irlandaise.**

    ☐ Vrai
    ☐ Faux

**12. À l'occasion de la parade nuptiale, les hippocampes font sonner les plaquettes osseuses de leur corps.**

    ☐ Vrai
    ☐ Faux

# Qui suis-je ?

**1. Ma condition est la vôtre. Je l'ai longuement exposée dans mon ouvrage le plus célèbre. Qui suis-je ?**
☐ Jean-Paul Sartre
☐ André Malraux
☐ Geneviève Fraisse

**2. J'ai écrit : "Les absents ont toujours tort de revenir" ? Qui suis-je ?**
☐ Jules Romains
☐ Jean Anouilh
☐ Jules Renard
☐ Jean Genet

**3. J'ai parodié Descartes en écrivant "J'oublie tout, donc je suis." Qui suis-je ?**
☐ Kant
☐ Freud
☐ Jacques Sternberg

**4. J'ai reçu le Grand Prix du roman de l'Académie française en 1971. J'ai écrit de nombreux romans dont "Casimir mène la grande vie". Qui suis-je ?**
☐ Patrick Modiano
☐ Jean d'Ormesson
☐ François Nourissier

**5. J'ai écrit : "Les racines des mots sont-elles carrées ?" Qui suis-je ?**
☐ Jean Anouilh
☐ Eugène Ionesco
☐ Jules Renard

**6. Mes pamphlets antisémites n'ont pas noyé le succès sans fin de mon plus beau voyage. Qui suis-je ?**

☐ Charles Maurras
☐ Louis-Ferdinand Céline
☐ Umberto Eco
☐ Julien Green

**7. Passionné de petits insectes insignifiants, je mène l'enquête scientifique pour vous et vous livre des ouvrages déroutants. Qui suis-je ?**

☐ Gilbert Sinoué
☐ Bernard Werber
☐ Walt Disney

**8. Je suis un célèbre romancier qui doit son succès à la recherche d'une certaine alchimie. Qui suis-je ?**

☐ Bertrand Djian
☐ Oscar Wilde
☐ Paulo Coelho
☐ Khalil Gibran

**9. New-yorkais, j'aime particulièrement la langue française. Mes personnages sont souvent des auteurs subissant une crise d'identité. Qui suis-je ?**

☐ Woody Allen
☐ Paul Auster
☐ James Salter

**10. Écrivain et linguiste anglais doté d'une imagination débordante, j'ai créé pour mes romans un monde imaginaire peuplé d'elfes et de géants. Qui suis-je ?**

☐ J.R.R. Tolkien
☐ J.K. Rowling
☐ Jonathan Swift

**11. Je suis un poète et politicien engagé du XIXe et je suis l'auteur de grands romans populaires. J'ai partagé ma vie avec Adèle Foucher. Qui suis-je ?**

☐ Alexandre Dumas
☐ Victor Hugo
☐ Paul Verlaine

**12. Après un thé très fort, je peux écrire. Je trouve que les vers sont comestibles et suis adulée de la critique et des lecteurs. Qui suis-je ?**

☐ Patricia Cornwell
☐ Françoise Sagan
☐ Amélie Nothomb

**13. J'ai commencé ma carrière dans la marine, ce qui a inspiré plusieurs de mes romans et nouvelles, dont le fameux "Moby Dick". Qui suis-je ?**

☐ Edgar Allan Poe
☐ Herman Melville
☐ Robert Louis Stevenson

**14. J'ai dépeint la vie du peintre moderne, je suis un poète dandy féru de femmes faciles et critique littéraire.
Qui suis-je ?**

☐ Paul Éluard
☐ Arthur Rimbaud
☐ Charles Baudelaire

**15. J'ai eu un immense succès de mon vivant mais je suis trop dépensier pour que Monte-Cristo assure mes vieux jours. Qui suis-je ?**

☐ Gérard Depardieu
☐ Alexandre Dumas
☐ Victor Hugo

**16. Je suis à l'origine d'une œuvre dédiée aux vampires. Mes personnages Lestat et Malloy ont été incarnés au cinéma par Tom Cruise et Brad Pitt. Qui suis-je ?**
☐ Anne Rice
☐ Amélie Nothomb
☐ Mary Shelley

**17. J'ai laissé un célèbre questionnaire, une œuvre comparable à "La Comédie humaine" et vouais une grande passion à Paul Ricoeur. Qui suis-je ?**
☐ Honoré de Balzac
☐ George Sand
☐ Marcel Proust

**18. Je suis le meilleur sociologue du XIXᵉ siècle. Toute ma comédie est tellement inspirée de la réalité que je ne suis peut-être pas romancier. Qui suis-je ?**
☐ Emile Zola
☐ Victor Hugo
☐ Honoré de Balzac
☐ Denis Diderot

**19. Mon nom est de Crayencour. J'ai été la première femme à siéger à l'Académie française. Qui suis-je ?**
☐ Marguerite Yourcenar
☐ Simone de Beauvoir
☐ Françoise Giroud

**20. Écrivain classique anglais, tous les enfants connaissent ma célèbre réplique : "On lui souhaite tous un joyeux non-anniversaire". Qui suis-je ?**
☐ Lewis Carroll
☐ Robert Louis Stevenson
☐ Charles Dickens

Fin

L'énigme se passe dans un monastère très strict ou vivent 40 moines. Ces moines ont pour seule vocation la prière et ils ne doivent absolument pas communiquer entre eux, ni par geste, encore moins par la parole. Ils ne peuvent même pas se regarder dans un miroir. Chaque jour, le Père supérieur, qui est le seul à pouvoir parler, rassemble les moines dans la salle de réunion pour les informer des nouvelles du jour.

Une maladie très dangereuse et peut-être contagieuse vient d'arriver chez les moines, elle se caractérise par la présence de petites plaques rouges sur le visage, bien visibles mais non douloureuses. Elle ne provoque pas d'autres symptômes au début. Chaque moine ne peut donc pas savoir s'il est malade. Le Père supérieur décide de prévenir les moines. Lors de la réunion quotidienne, il les informe donc que cette maladie est grave, et il demande qu'à la fin de chaque réunion, quand il le demandera, tous ceux qui se savent malades préparent leurs valises et partent du monastère.

À la fin de cette réunion, le Père supérieur demande : "Que tous ceux qui se savent malades se lèvent et s'en aillent". Mais personne ne se lève.

Le lendemain, à la fin de la réunion, le Père supérieur demande : "Que tous ceux qui se savent malades se lèvent et s'en aillent". Mais personne ne se lève.
Le surlendemain, à la fin de la réunion, le Père supérieur demande : "Que tous ceux qui se savent malades se lèvent et s'en aillent". À ce moment-là, tous les moines qui sont malades se lèvent et s'en vont.

**Combien sont-ils ?**

# BONUS 2

## La 750e porte...

Maîtresse Rita a invité Richard à la rejoindre dans son donjon. Mais Richard a dénombré 750 portes, toutes numérotées, et il ne sait pas derrière laquelle se trouve Rita. C'est alors qu'apparaissent 7 chauves-souris qui, tour à tour, prennent la parole :

La première : "Tu trouveras ta Maîtresse derrière une porte dont le numéro est un multiple de 21."

La deuxième : "Le numéro de cette porte est d'ailleurs divisible par 18 !"

La troisième : "Et il est aussi divisible par 28 !"

La quatrième : "On peut même le diviser par 63..."

La cinquième : "Et par 8."

La sixième : "Et aussi par 12."

La septième : "Une de mes 6 sœurs s'est trompée dans ses calculs ! Pardonne-la mais les autres ont raison. Et moi, je ne fais jamais d'erreur de calcul."

**Quelle porte doit ouvrir Richard pour retrouver Maîtresse Rita ?**

## Énigme tirée de l'excellent "Livre qui rend fou", de Raymond Smullyan, aux éditions Dunod.

Un homme doit choisir entre deux portes à ouvrir, sachant que derrière ces portes il y a un dragon ou une princesse. Mais il peut y avoir deux princesses, ou deux dragons... S'il choisit la princesse, il peut l'épouser, mais s'il choisit le dragon, il sera grillé comme une vieille merguez... Sur chaque porte, il y a une affiche, et on  sait que soit les affiches disent toutes les deux la vérité, soit elles mentent toutes les deux.

Sur la porte 1 est inscrit : il y a un dragon dans cette cellule ou il y a une princesse dans l'autre.

Sur la porte 2 est inscrit : il y a une princesse dans l'autre cellule.

**Que contient la première cellule ? Et la seconde ?**

## BONUS 4

André, Dominique et Simon veulent
chacun construire un château qui
nécessite 200 dominos par château.
Aucun n'a le nombre suffisant.
André dit à Dominique :
– Si tu me donnais la moitié de tes
dominos, je pourrais construire un
château sans qu'il m'en reste.
Dominique dit à Simon :
– Si tu me donnais le tiers de tes dominos, je pourrais
construire un château sans qu'il m'en reste.
Simon dit à André :
– Si tu me donnais le quart de tes dominos, je pourrais
construire un château sans qu'il m'en reste.
**Combien les trois amis ont-ils de dominos ensemble ?**

## BONUS 5

"Quand tu me regardes, moi aussi je te regarde.

Mais si tu vois avec des yeux, moi je te vois sans yeux.

Quand tu parles, je parle mais sans voix :

en vain j'ouvre la bouche et remue les lèvres."

**De quoi s'agit-il ?**

## BONUS 6

Bob le millardaire a défié Jef le
nabab aux échecs. Pour pimenter
la partie, Bob propose que le
vaincu versera 10 millions d'euros
au vainqueur. Comme Jef est mauvais
perdant et assez pingre, comme tout
vrai riche, Bob lui propose un autre
enjeu : le vaincu paiera en déposant 1 euro
sur la première case, puis 2 euros sur la
deuxième case, 4 euros sur la troisième
case, 8 euros sur la quatrième case, et ainsi
de suite jusqu'à la soixante-quatrième case, en doublant à
chaque fois le nombre d'euros.
Jef est ravi de cette proposition, accepte, joue et perd.
**A-t-il eu raison de choisir cet enjeu et combien a-t-il gagné
ou perdu sur les 10 millions d'euros de départ ?**

## BONUS 7

Arthur donne une calculatrice à chacune de ses deux
amies et leur dit :
– Mon fils Charles n'a pas encore deux ans. Pour trouver
son âge, vous allez faire un peu de calcul. Toi, Sophie,
tu vas trouver le plus petit carré de six chiffres et toi,
Catherine, tu vas trouver le plus grand carré de cinq chiffres.
Ensuite, je ferai la différence entre vos deux résultats :
c'est le nombre de jours vécus par mon fils.
Quel est l'âge de Charles ?

## BONUS 8

Un professeur de logique doit noter quatre de ses étudiants : Paul, René, Stéphane et Nicolas. Son barème est A pour une excellente note, B, C, D, E, F pour les notes intermédiaires et G pour un échec total.

Quand ils voient leurs résultats, les étudiants font à tour de rôle deux commentaires :

**Paul**
  * Personne n'a obtenu une note supérieure à B.
  * René a eu une note inférieure à B.

**René**
  * J'ai obtenu un A.
  * Paul a obtenu un A, un B ou un C.

**Stéphane**
  * J'ai obtenu une note supérieure à D.
  * La note de Nicolas est supérieure à celle de Paul.

**Nicolas**
  * J'ai obtenu un résultat inférieur à E.
  * René a obtenu une note supérieure à celle de Stéphane.

Sur ces huit affirmations, sept sont fausses. Sachant que les notes obtenues furent différentes les unes des autres, retrouvez les notes obtenues par ces étudiants.

**Paul :**

**René :**

**Stéphane :**

**Nicolas :**

# Les œufs d'Euler

Le problème suivant a été posé par Euler
(mathématicien suisse, 1707-1783) dans son
introduction à l'algèbre. Deux paysannes
apportent ensemble 100 œufs au marché. Le
nombre d'œufs pour chacune est différent,
mais toutes les deux reçoivent la même
somme d'argent. La première paysanne
dit alors à la seconde : "Si j'avais eu tes œufs,
j'aurais reçu 15 kreutzers." L'autre lui répond : "Et moi,
si j'avais tes œufs, j'aurais reçu 6 kreutzers et 2/3."
Combien d'œufs chaque paysanne avait-elle ?

Le restaurant "Chez ma Poule" vient d'ouvrir.
Sa capacité maximale est de 100
places. Le soir de l'inauguration,
toutes les tables occupées comptaient
quatre clients, sauf une, qui en
contenait trois. On pouvait d'ailleurs
remarquer deux fois plus de femmes
que d'hommes dans le restaurant.
Par ailleurs, sept tables de quatre
places chacune étaient réservées.
Combien y avait-il de clients au
maximum ce soir-là ?

## BONUS 11

Le N$^e$ jour du X$^e$ mois de l'année
1900 + Y, un navire ayant A hélices,
B cheminées et C hommes d'équipage,
est lancé.
Le produit ABCNXY augmenté de
la racine cubique de l'âge du capitaine,
qui est grand-père, est égal à 4 002 331.
**Quel est l'âge du capitaine ?**
**Et quelles sont les valeurs de A, B, C, N, X et Y ?**

## BONUS 12

Une entreprise high-tech lance un programme extrêmement
"sensible", avec deux impératifs : le secret et l'efficacité.
Cinq ingénieurs doivent le prendre en charge, mais à deux
strictes conditions : aucun ingénieur, ou groupe de deux
ingénieurs, ne doit à lui seul connaître l'intégralité du
programme. Et, en aucun cas, l'entreprise ne doit souffrir
de l'absence éventuelle d'un ou de deux ingénieurs. La
direction générale a donc prévu de diviser le programme
en un certain nombre de sous-programmes, de telle façon
que deux ingénieurs ne puissent jamais accéder
à l'intégralité des sous-programmes, mais que
trois quelconques des ingénieurs le puissent.
**Combien de sous-programmes sont**
**nécessaires pour satisfaire aux**
**conditions posées ?**

À la fin de l'année, un professeur note, de A pour excellent à G pour nul, chacune de ses quatre étudiantes : Viviane, Betty, Elvire, et Camille. Au vu de leurs résultats, les étudiantes font chacune deux commentaires :

**Viviane :**

Personne n'a obtenu une note supérieure à B.

Betty a eu une note inférieure à B.

**Betty :**

J'ai obtenu un A.

Viviane a obtenu un A, un B ou un C.

**Elvire :**

J'ai obtenu une note supérieure à D.

La note de Camille est supérieure à celle de Viviane.

**Camille :**

J'ai obtenu un résultat inférieur à E.

Betty a obtenu une note supérieure à celle d'Elvire.

**Sachant que, sur ces huit affirmations, sept sont fausses, et que les notes obtenues sont différentes les unes des autres, quelles sont les notes obtenues par chacune ?**

# BONUS 14

Dans un livre de jeux, Alice, Derek et Sophia ont trouvé un plan pour ériger un château nécessitant exactement 200 legos. Aucune n'a le nombre requis de legos.

Alice dit à Derek :

– Si tu me donnais la moitié de tes legos, je pourrais construire un château sans qu'il m'en reste.

Derek répond à Sophia :

– Si tu me donnais le tiers de tes legos, je pourrais construire un château sans qu'il m'en reste.

Sophia rétorque à Alice :

– Si tu me donnais le quart de tes legos, je pourrais construire un château sans qu'il m'en reste.

**Combien les trois amies ont-elles de legos ensemble ?**

# BONUS 15

Marjolaine vient de terminer la production d'une grille de mots croisés dans laquelle elle a écrit son prénom.

Elle aurait voulu écrire les lettres de A à X dans une même colonne, mais c'est impossible : il y a sept fois plus de cases contenant une lettre que de cases noires.

**Quelle est la grandeur de la grille ?**

## BONUS 16

La bibliothèque de Lucia comporte trois sections marquées A, B et C. Celle de Lucien en compte aussi trois, marquées D, E et F. Chaque section contient au moins huit livres et au plus 18. Lucia et Lucien ont chacun 40 livres.

A    B    C    =    D    E    F

1. La section C contient deux livres de plus que la A.
2. La section F contient quatre livres de moins que la C.
3. Les sections B et E ont 23 livres ensemble.
4. La section A contient quatre livres de plus que la B.

**Déterminez le nombre de livres par section.**

Section A : ..............................

Section B : ..............................

Section C : ..............................

Section D : ..............................

Section E : ..............................

Section F : ..............................

# BONUS 17

Le cinquième d'un essaim d'abeilles se dirige vers un massif de roses, un tiers vers les lilas et un nombre égal à trois fois la différence de ces deux nombres s'envole vers une haie. Une abeille se détache du groupe, attirée par les lys et les rhododendrons.
**Quel était le nombre total d'abeilles ?**

---

# BONUS 18

## Le problème des singes, une énigme de M. Rodet, 1878

Des singes s'amusaient.
De la troupe bruyante, un huitième au carré gambadait dans les bois.
Douze criaient tous à la fois du haut de la colline verdoyante.
**Combien d'êtres comptait la caste remuante ?**

## BONUS 19

Six employées dans
une bijouterie sont
accusées de vol :
Yvonne, Mia, Liloo, Gaëlle, Miranda,
et Christie.

Deux sont coupables, les quatre
autres sont innocentes.

Yvonne affirme que Liloo est innocente.

Mia affirme que Gaëlle est innocente.

Liloo affirme que Miranda est innocente.

Gaëlle affirme que Mia est innocente.

Miranda affirme que Christie est innocente.

**Sachant que seuls les innocents disent la vérité,
quelles sont les coupables ?**

La centrale d'achats de la grande surface
"Mégapacher" doit se réapprovisionner
en carottes.

Elle passe commande à Mireille Leplanchu,
la plus grosse productrice de carottes
d'Europe, en donnant les instructions
suivantes :

– Il nous faut 456 kilogrammes de carottes.
Vous devrez nous livrer :

1. Des sacs de 6, 9 et 12 kilogrammes.

2. Trois fois moins de sacs de 9 kilogrammes
que de 12.

3. Deux fois plus de sacs de 6 kilogrammes
que de 9.

**Combien de sacs
de carottes
Mireille
Leplanchu devra-
t-elle livrer ?**

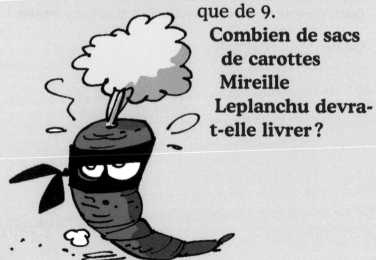

## BONUS 21

Fanny décide d'aller rendre visite à quatre anciennes copines : Coralie, Lily, Carmen et Gertrude. À sa grande surprise, elle découvre qu'on a remplacé le nom des rues par un numéro. Par exemple, la rue Montrouge est devenue la 68e rue.

Elle sait que toutes demeurent dans des rues parallèles au fleuve, qui sont maintenant numérotées à partir de 1 vers le haut.

Pour les situer, elle décide de joindre chacune au téléphone :

**Carmen :** je demeure quatre rues plus bas que Gertrude.

**Gertrude :** je monte 13 rues pour me rendre chez Lily.

**Lily :** la somme du numéro de ma rue et de celui de la rue de Coralie est 72.

**Coralie :** la somme des numéros pour les hommes est plus grande de deux unités que celle pour les femmes.

**Quels sont les numéros des rues où habitent ses copines ?**

Carmen :            Gertrude :            Lily :            Coralie :

## BONUS 22

# Une ancienne énigme indienne

"Vingt personnes, hommes, femmes et enfants reçoivent en tout vingt pièces. Chaque homme reçoit la valeur de trois pièces, chaque femme la valeur d'une pièce et demie, et chaque enfant la valeur d'une demi-pièce."

**Combien y a-t-il d'hommes, de femmes et d'enfants ?**

# NSES

## TEST 1

5 : 9 mégots font 3 cigarettes et font 3 autres mégots, donc une 4e cigarette qui donne 1 mégot et, avec le 10e de l'énoncé, il ne lui reste plus qu'à emprunter un autre mégot pour faire la 5e cigarette et rendre le mégot de cette cigarette à son ami.

## TEST 2

Le niveau ne change pas.
En effet, la masse de l'eau déplacée est égale à celle du total des glaçons : ceux-ci en équilibre sont soumis à deux forces qui s'annulent, leur poids et la poussée d'Archimède.
En redevenant eau, les glaçons occupent donc un volume identique à celui de l'eau déplacée qui avait la même masse qu'eux.

## TEST 3

Ils ont moins en perdant 4 €.
Car 20 % de bonus sur 100 € donne 120 € et 20 % de malus sur 120 € donne 96 €.

## TEST 4

Deuxième : vous avez doublé le deuxième et vous avez pris sa place, donc vous arrivez deuxième. Et vous ne pouvez pas doubler le dernier. Si vous êtes derrière lui, il n'est pas le dernier. La réponse est impossible.

## TEST 5

1 verte, 1 rouge, et 1 bleue.

## TEST 6

Le champ de M. Arthur est deux fois plus grand que celui de son voisin.

## TEST 7

29 jours : Le 29e jour, 1 seul nénuphar a rempli la moitié du bassin, puisque le lendemain ce dernier est rempli en entier. Donc ce bassin est plein le 29e jour avec les 2 nénuphars identiques.

## TEST 8

1. 116 ans, de 1337 à 1453.
2. En Équateur.
3. En novembre, le calendrier russe avait alors 15 jours de différence avec le nôtre.
4. De fourrure d'écureuil.
5. Le chien. Le nom latin est "insularia canaria" ou île de Chien.
6. Albert. Il respecta ainsi le désir de la reine Victoria qu'aucun roi ne porte le nom d'Albert.
7. Nouvelle-Zélande.
8. Orange.
9. Trente ans, de 1618 à 1648.

**TEST 9**

Les trois Russes sont des femmes.

**TEST 10**

La bonne réponse est 4 100.

**TEST 11**

11, car il y a 5 intervalles pour 6 coups et 11 intervalles pour 12 coups.

**TEST 12**

Elle est d'environ 66 km /h puisque vous avez fait 100 km en 1 h 30.

**TEST 13**

La bouteille coûte 10,50 € et le bouchon 0,50 €.

**TEST 14**

1. Le safran.
2. Post-scriptum.
3. 5.
4. Léopoldville.
5. Tyrannosaure.
6. Bonne Nuit les petits.
7. Simone Veil.
8. La contraception.
9. 24 février 1982.
10. Hong Kong.
11. L'hévéa.
12. Samuel Colt.

**TEST 15**

1. Une fuite du circuit de freinage.
2. Mettre seulement le contact et mettre la marche arrière.
3. La 1re vitesse.
4. Les roues arrière donnent la vitesse.
5. Je ne perds pas de points.
6. 2 points.

**TEST 16**

Quatre chats. Chaque chat a devant lui les trois chats qui sont assis dans les coins. Et ils sont tous assis sur leur queue.

**TEST 17**

Il y a 4 garçons et 3 filles.

**TEST 18**

1. Il y a toujours un 14 juillet entre le 13 et 15, même en Belgique.
2. 1, juste un.
3. 12, tous les mois ont 28 jours.
4. Tous ! Ils ne l'enlèvent pas pour manger.
5. Non, un mort n'a pas le droit de se marier.
6. 70, 30 divisé par 1/2 égale 60.
7. 2, celles que vous avez prises.
8. 60 minutes, vous en prenez une tout de suite, 30 minutes plus tard la deuxième, et 30 minutes après la troisième.
9. 9 comme on vous l'a dit.
10. 0. Moïse n'avait pas d'arche, contrairement à Noé.
11. 12. Il y a 12 paires de chaussettes dans une douzaine de paires de chaussettes.

**TEST 19**

90 poulets, 9 cochons, 1 mouton.

**TEST 20**

600. 5 % de femmes en portent une, cela fait 30. Pour les 570 qui restent, soit 95 %, la moitié en porte 2 et l'autre aucune, soit 1 en moyenne par personne.

**TEST 21**

Violette.

**TEST 22**

Un seul, le lion.

**TEST 23**

3 : la parole n'est pas un sens.

**TEST 24**

1 h 45.

**TEST 25**
1 seule, car après le verre n'est plus vide.

**TEST 26**
Trois chats.

**TEST 27**
19 fois.

**TEST 28**
1. L'Islande
2. Israël
3. Sao Paulo
4. Mogadiscio
5. Le Portugal
6. L'Éthiopie
7. En Océanie
8. En Malaisie
9. La Belgique
10. La Russie

**TEST 29**
1. Mozart, le seul artiste dont le nom commence par M.
2. Replier, le seul verbe qui n'évoque pas la remise à neuf.
3. Traîneau, le seul véhicule sans roues.
4. Hareng, le seul à ne pas être un mammifère.
5. Araignée, qui a huit pattes.
6. Québec, qui est à une latitude beaucoup plus au nord que les autres.
7. Cuillère, qui est la seule à ne pas piquer.
8. New York, qui n'est pas une capitale.
9. X, qui s'écrit avec 2 barres et les autres 3.
10. Poire, qui ne contient pas de lettres A.

**TEST 30**
Aucune, car si tout est recouvert de miroirs, il n'y a pas de lumière et la pièce est dans l'obscurité totale.

**TEST 31**
40. 4 côtés de 100 mètres, 1 pilier tous les 10 mètres : 400/10.

**TEST 32**
Une seule fois. Après, ce n'est plus 100.

**TEST 33**
3 poules en file indienne.

**TEST 34**
Il n'y a que sept femmes en tout : une grand-mère, ses deux filles et ses quatre petites-filles.

**TEST 35**
1 orange, 1 jaune, et 1 mauve.

**TEST 36**
Un tas.

**TEST 37**
20 euros.
Le libraire aura dépensé
70 + 90 = 160 euros
et aura gagné
80 + 100 = 180 euros.
Soit un bénéfice de 20 euros.

**TEST 38**
Henri Plantagenêt et Aliénor d'Aquitaine n'étaient pas mariés ensemble, mais étaient amants.

**TEST 39**
1. En appuyant sur le bouton.
2. Denture.
3. L'Australie.
4. Un calendrier.
5. Non : une année ne commence jamais un vendredi 13 mais un 1er janvier.
6. La fuite.
7. Dans le dictionnaire.
8. Non puisqu'il vit.
9. Chaque année.
10. Un sucrier.

# NIVEAU 1

## TEST 40

Il n'y a pas de différence,
80 min = 1 h 20.

## TEST 41

Ils sont 8. Chaque fille a un frère, donc c'est l'unique fils de la famille.
Il y a chez les Smith 5 filles, 1 fils et les 2 parents, soit 8 personnes.

## TEST 42

Depuis 2007, en euro.

## TEST 43

1. Yves Saint Laurent
2. Jean Paul Gaultier
3. Dior
4. Gérard Darel

## TEST 44

1. Une lyre.
2. En Sicile.
3. Bulgare.
4. Le 8 Mai 1945.
5. Le serment d'Hippocrate.
6. Alfred Nobel.
7. Boris Eltsine.
8. Apollo 11.
9. Une jungle.
10. Le chapeau melon.
11. L'acajou.
12. Le Coca-Cola.

## TEST 45

2 litres. Si 1 litre remplit à moitié une carafe, il en faut 2 pour la remplir complètement.

## TEST 46

SOLène. Après DOminique, RÉgis, MIlène, FAbien.

## TEST 47

1. Oui, en chiffres romains.
2. S. U = un, D = deux,
   T = trois, Q = quatre,
   C = cinq, et donc S comme six.

3. Non.
4. Le 31 décembre 3000 et non le 31 décembre 2999.
5. Parfum.
6. Il faut prononcer à haute voix : Hélène a cassé des œufs hier et a énervé Hervé.
7. S devant IX et donc SIX = 6.
8. Sept, cinq, deux, zéro et neuf s'écrivent tous avec 4 lettres.

## TEST 48

1. Déglacer.
2. Une tranche de lard.
3. Le poisson.
4. Une marmite en terre.
5. Blondir.
6. Le bain-marie.
7. Doucement et régulièrement.
8. Une pâte à tarte.
9. L'estomac.
10. Gourmet.

## TEST 49

Il laisse tomber : un billet de 30 dollars ça n'existe pas.

## TEST 50

Les enfants de Josie sont des triplés.

## TEST 51

Britney est australienne et habite dans l'hémisphère Sud, où les saisons sont inversées.

## TEST 52

15.
Le bateau qui flotte à la surface de l'eau monte en même temps que la marée. Donc le nombre d'échelons hors de l'eau sera toujours le même.

## TEST 53

11 secondes, car il y a 7 intervalles pour 8 coups et 11 intervalles pour 12 coups.

**TEST 54**

Un chien et sa niche.

**TEST 55**

En lisant à voix haute chaque mot de la suite, l'élève pourra entendre à la fin de ceux-ci les chiffres 0, 2, 4, 6 et 8. Il faut donc qu'il poursuive la suite avec le mot indice (10).

**TEST 56**

Le docteur est une femme.

**TEST 57**

Un temps infini, car les canards ne pondent pas d'œufs.

**TEST 58**

L'homme regarde la photo de son fils.

**TEST 59**

1. Épaule, le seul dont la première et la dernière lettre sont les mêmes.
2. Manteau, le seul qui se met par-dessus les autres.
3. Fruit de la passion, le seul fruit à venir d'une plante grimpante.
4. Somali, le seul où le français n'est pas une langue officielle ou administrative.
5. Courtney Love, la seule à ne pas avoir de A dans son nom d'artiste.
6. Coriandre, la seule qui n'est pas une épice.
7. Truite, la seule à vivre dans les rivières.
8. Purée, la seule que l'on n'étale pas sur du pain.
9. Estomper, le seul verbe qui n'est pas un synonyme d'enlever.
10. Requin, le seul à ne pas être un mammifère.

**TEST 60**

Mais c'est vous qui conduisiez. Relisez le début.

# NIVEAU 2

**TEST 1**

1. Car 6x12x12=864 et 6x12=72.

**TEST 2**

Une pièce de 20 centimes et une de 10 centimes, car si l'une des pièces n'est pas une pièce de 10 centimes, cela n'empêche pas l'autre de l'être.

**TEST 3**

Tom est le plus vieux. Suivent ensuite Jacques et Henri.

**TEST 4**

Le grain.

**TEST 5**

3 125. Le chiffre précédent multiplié par 5.

**TEST 6**

200 œufs. En effet, si huit cents poules pondent en moyenne huit cents œufs en huit jours, quatre cents poules pondent quatre cents œufs en huit jours. Donc quatre cents poules pondent deux cents œufs en quatre jours.

**TEST 7**

Il y a effectivement trois personnes à table : le fils, le père et le grand-père. Le père jouant à la fois le rôle de père et de fils.

**TEST 8**

- La vache est le seul à être herbivore.
- Citrus le seul a ne pas être un nuage.
- Le zinc, le seul à ne pas être une source d'énergie.
- Kennedy le seul qui n'avait pas de moustache.
- Le renard, le seul à ne pas être un animal domestique.
- Charles Mackintosh, le seul à ne pas être un explorateur.
- Élisabeth n'est pas un lac.
- Baqueirat-Beret, la seule station de ski qui ne se trouve pas en France.
- Narbonne est la seule à se situer dans l'Aude (11).

**TEST 9**

En se mettant dos à dos.

**TEST 10**

Vers nulle part : à 250 km/h, c'est un train électrique, il n'y a donc pas de fumée.

## TEST 11

Il faut couper la brique dans les 3 dimensions. Pour commencer on la coupe en 2 moitiés dans l'épaisseur, à l'horizontale.
Puis en 2 en largeur, ce qui donne 4 parts, et enfin on la coupe en 2 en longueur.

## TEST 12

Le comptable va jongler avec ses lingots de façon à ne jamais avoir plus de 2 lingots dans les mains.

## TEST 13

Oui, car du kilomètre 1 au kilomètre 12, il y a 11 kilomètres. Et du 12 au 24, il y a 12 kilomètres. Karim a donc fait un trajet plus court.

## TEST 14

1. Saint-Cyr, qui est une école militaire.
2. 26 ans.
3. Avocat.
4. Renaud, dans une chanson dont le titre est "Miss Maggie".
5. Elle était chef du parti conservateur.
6. Fidel Castro.
7. En 1952.
8. Le Cavaliere.
9. Ronald Reagan.
10. John Fitzgerald Kennedy.

## TEST 15

1. Afflelou.
2. Auchan.
3. Barilla.
4. Buitoni.
5. Eau précieuse.
6. Gini.
7. Herta.
8. J'adore.
9. C'est avec l'esprit libre qu'on avance. Gan assurances.
10. Mars… et ça repart.
11. Notre métier, l'emploi. L'Anpe.
12. Un café nommé désir. Carte noire.
13. Le contrat de confiance. Darty.
14. Longue vie à votre auto. Feu vert.
15. Le tigre est en toi. Frosties.
16. La perfection au masculin. Gillette.
17. Réagissez. Ikéa.

## TEST 16

Il habite au rez-de-chaussée.

## TEST 17

Il doit en prendre 4 car la 4$^e$ est forcément de la même couleur qu'une des 3 premières.

## TEST 18

Toujours 3 semaines. Le fait d'acheter plus de poules et plus de cages ne va pas accélérer le temps de couvaison.

## TEST 19

1. Dominique Farrugia
2. Tim Burton
3. Van Hamme
4. John Lennon

## TEST 20

Si Thibault a expédié une carte postale en janvier, il en aura expédié 8 en février, 15 en mars, 22 en avril, 29 en mai et 36 en juin, soit un total de 111 cartes. Comme il en manque 24, il faut en ajouter 4 par mois. Donc 40 cartes en juin.

## TEST 21

"Al, je voudrais mourir de vieillesse".

## TEST 22

La mort.

## TEST 23

Il n'y a pas d'unanimité puisque vous avez voté pour.

## TEST 24

2 jours, car en 2 jours Hector peint 1/3 de la maison et Gilles 2/3.

## TEST 25

1. Faux. Une dépression peut déclencher des tempêtes.
2. Vrai. Humaniste et théologien.
3. Vrai. Basée sur une taxation de 0,1 % des flux financiers, elle permettrait d'éradiquer la pauvreté dans le monde.
4. Vrai.
5. Vrai.
6. Faux. Il a été tué par un extrémiste hindou, de son "propre camp".
7. Faux. Il fit son premier voyage vers les Indes avec 3 caravelles et le second avec 6 voiliers.
8. Faux. Il est l'auteur des scénarios de "Smoke" et de "Brooklin Boogie".
9. Faux. Il a régné 72 ans, de 1643 à 1715.

## TEST 26

S'il numérote les chambres de 1 à 20, il en coûtera 122 euros. S'il veut faire des économies, il réduira la facture de 6 euros en achetant des chiffres 6 et en les utilisant comme des 9. Il pourra encore gagner 2 euros en numérotant les portes, non pas de 1 à 20, mais de 0 à 19, ce qui lui fera un total de 114 euros.

## TEST 27

Il fait jour.

## TEST 28

Oui, cet endroit existe. Pour le mettre en évidence, faisons partir deux sages à 9 h tous les deux : un partirait d'en bas et l'autre d'en haut. Puisqu'ils sont sur le même chemin, ils se croiseront.

## TEST 29

Au minimum il y aura 48 veaux. Avec deux veaux rayés et un tacheté dans le premier enclos, il faut rajouter un veau de chaque espèce d'enclos à enclos. Soit 3 + 5 + 7 + 9 + 11 + 13.

## TEST 30

- Anagramme : féminin
- Tentacule : masculin
- Planisphère : masculin
- Pétoncle : masculin
- Patère : féminin
- Agrumes : masculin
- Haltère : masculin
- Épître : féminin
- Algèbre : féminin
- Astéroïde : masculin
- Ivoire : masculin
- Cuticule : féminin
- Effluve : masculin
- Embâcle : masculin
- Ozone : masculin
- Ovule : masculin
- Emblème : masculin
- Termite : masculin
- Testicule : masculin
- Viscère : masculin
- Astérisque : masculin
- Antidote : masculin
- Argile : féminin
- Échappatoire : féminin
- Échauffourée : féminin
- Emblème : masculin
- Enzyme : féminin
- Orbite : féminin
- Réglisse : féminin
- Interview : féminin
- HLM : les deux
- Après-midi : les deux
- Hymne : les deux sens différents, un = chant, une = poème religieux.
- Acmé : les deux
- Épitaphe : féminin
- Granule : masculin
- Stalactite : féminin
- Interligne : masculin
- Armistice : masculin
- Aromate : masculin

## TEST 31

6 mécaniciens et 4 ingénieurs. Si tous étaient des mécaniciens, il faudrait 60 rations pour les nourrir, or 56 suffisent. Comme les ingénieurs mangent une ration de moins, il faut remplacer quatre mécaniciens par des ingénieurs.

## TEST 32

Il faut couper le gâteau dans les 3 dimensions. Pour commencer, on le coupe en 2 moitiés dans le sens de la longueur, puis selon la largeur, ce qui donne 4 parts, et enfin on le coupe en 2 à l'horizontale.

## TEST 33

Les brunes.

## TEST 34

Elle court 21 km en 3 heures, soit 6,7 km/h.

## TEST 35

Il y a 22 chevaux et 8 personnes. S'il n'y avait que des personnes, il y aurait 60 pieds (30 x 2). Il y a 44 pieds en plus. 44 / 2 = 22 paires en plus. Considérons 22 têtes x 4 pieds = 88 pieds pour 22 chevaux.
Il reste 8 têtes x 2 pieds = 16 pieds pour 8 hommes.

## TEST 36

Il dormait au boulot.

## TEST 37

Le portrait.

## TEST 38

L'allumette.

## TEST 39

113

## TEST 40

Elle doit en prendre 4 car la 4e est forcément de la même sorte qu'une des 3 premières.

## TEST 41

On n'enterre généralement pas les survivants.

## TEST 42

• Le chêne, le seul à ne pas être un conifère.
• L'orge, la seule avec laquelle on ne peut pas produire de l'huile.
• Pinsher, le seul à être une race de chien.
• Le chameau, le seul à ne pas faire partie des équidés.
• "Hibernatus" le seul dans lequel Charlie Chaplin ne joue pas.
• Valérie Lemercier, la seule à ne pas faire partie de la bande du "Splendid".
• "Intacto", le seul à ne pas être un film de Pedro Almodovar.
• L'Australie, le seul à ne pas être un continent.
• Le Dakhla, le seul à être une oasis.

## TEST 43

Faux. Puisque Mélanie est plus grande que Lidia, Lidia ne peut pas être la plus grande.

## TEST 44

Julie a 7 frites et Paul 5.

## TEST 45

Pau est composé de 3 lettres, Nice de 4 lettres, Paris de 5 lettres. Le suivant doit donc avoir 6 lettres : Rennes.

## TEST 46

504.
La multiplication de 7 par 8 par 9.

## TEST 47

1. Simone Veil, en 1975.
2. La sculptrice Camille Claudel, qui vécut une grande passion avec Auguste Rodin.
3. Marie-Antoinette revisitée avec un style rock et glamour.
4. Cléopâtre, peu de temps après la mort de Marc Antoine.
5. Rosa Parks, qui refusa de céder sa place dans le bus à un passager blanc.
6. Catherine II.
7. Mère Teresa, prix Nobel de la Paix en 1979.

## TEST 48

1. Valérie Lemercier.
2. Quentin Tarantino.
3. Jim Morrison.

## TEST 49

Un secret.

## TEST 50

Azélie a acheté 5 + 7 = 12 pêches.
Elle a donné 4 + 3 + 3 = 10 pêches.
Elle a gagné 2 pêches.
Comme elle en avait 8 le dimanche, elle a acheté 6 pêches le vendredi.

## TEST 51

80 mètres. Soit x sa taille. $x = 40 + 1/2\ x$
$2x = 80 + x$. Donc $x = 80$

## TEST 52

La moins pire des solutions, c'est d'être jeté dans la fosse aux lions. S'ils n'ont pas mangé depuis cinq mois, ils sont probablement déjà morts de faim.

## TEST 53

37 minutes.
Les cinq directrices ont parlé pendant 25 minutes.
Les pauses ont duré 4 x 3 = 12 minutes.

## TEST 54

Samedi est le seul à avoir autant de consonnes que de voyelles.

## TEST 55

Blanc car vous êtes au pôle Nord. En effet, en étant au pôle Nord tout déplacement ne peut se faire que vers le sud, que vous alliez à l'est ou à l'ouest. Et en remontant au nord, vous vous retrouvez au même point de départ.

## TEST 56

Les fourmis tournent autour d'une branche.

## TEST 57

Élisa est bien trop petite pour atteindre le bouton 21 de l'ascenseur.

## TEST 58

Il ne lèche pas le tison mais l'écu, comme il l'a dit.

## TEST 59

C'est un meurtre puisque la porte était refermée.

## TEST 60

1. Vrai. Elle fut élue le 7 février 1922.
2. Vrai. Il fut élu à l'âge de 43 ans.
3. Faux.
4. Faux. La République du Yémen a pour capitale Sanaa.
5. Vrai. C'est même la première femme dans ce cas.
6. Faux. C'est un hebdomadaire.
7. Vrai.
8. Vrai.
9. Faux. Ce sont les Finlandaises, en 1906. Les Américaines l'obtiennent en 1919 et les Françaises en 1944.

# NIVEAU 3

**TEST 1**
Kévin et Charly.
Kévin = 72. Bertrand = 144.
Charly = 72. Didier= 194.

**TEST 2**
Le poison était dans les glaçons. Et ceux-ci n'ont pas eu le temps de fondre.

**TEST 3**
En premier, ce sont les deux explorateurs qui vont de l'autre côté. L'un reste sur la rive et l'autre repart rejoindre l'ingénieur. Il le laisse monter sur la pirogue et reste de l'autre côté. L'ingénieur rejoint alors l'autre explorateur qui était déjà de l'autre côté de la rivière, le laisse monter sur la pirogue et descend. L'explorateur rejoint l'autre explorateur, le laisse monter et ne descend pas de la pirogue. Ainsi, tous les trois peuvent franchir la rivière.

**TEST 4**
14 h 30.
L'hypothèse 15 h 00 est impossible, puisque 15 h 00 - 20 min = 14 h 40 et qu'aucune montre n'indique cette heure-là. Mais si on prend 14 h 50, les données sont vérifiées : 14 h 50 avec 20 min d'avance = 14 h 30.

14 h 20 donc un retard de 10 min et 15 h qui est arrêté.

**TEST 5**
L'année, les mois, les jours et les nuits.

**TEST 6**
120 pintes de bière.
Si un Belge boit 12/9 ou 4/3 pintes en 8 jours, alors en 30 jours, il va boire (4/3 x 30) : 8 = 5 pintes. Soit pour 24 artisans : 5 x 24 = 120 pintes.

**TEST 7**
23. Si le peintre est sur le barreau du milieu, l'échelle a un nombre impair de marches. Et 5 – 10 + 7 + 9 = 11 soit 2 x 11, plus la marche du milieu = 23.

**TEST 8**
1. Yohan Gourcuff
2. Usain Bolt
3. Kobe Bryant
4. Sébastien Chabal
5. Fernando Alonso
6. Grégory Coupet

## TEST 9

- Des courts-bouillons.
- L'amharique (langue officielle de l'Éthiopie).
- Des aide-mémoire.
- Des barcarolles (les chansons des gondoliers de Venise).
- Des monte-charge.

## TEST 10

Soit A, B et C les 3 personnes.
Il faut faire avancer A et B sur le scooter sur 50 km, à 50 km/h, soit pendant 1 h.
Pendant ce temps, C avance de 5 km à pied. Total : 1 heure.
A et B se séparent. B descend, il est donc à 10 km de l'arrivée et fait 5 km en 1 h. A repart en scooter, fait le chemin inverse et rejoint C qui est à 10 km du départ. Total : 2 heures.
B fait les 5 km restant et arrive en 1 h, A et C font 50 km en 1 h et arrivent en même temps que B.
Total : 3 heures.

## TEST 11

Ils jouent au Monopoly.

## TEST 12

8 heures. En 1 heure, il monte de $30 - 20 = 10$ cm. Il met 7 heures pour faire ensuite 70 cm. Et la 8e heure, il fait les 30 cm restant.

## TEST 13

1. Samuel Morse.
2. L'Argentine.
3. Richard Virenque.
4. 1989.
5. Charles Lindbergh.
6. Sochaux.
7. Le Bayern de Munich.
8. The Velvet Underground and Nico.
9. La Suède. OTAN signifie Organisation du traité de l'Atlantique Nord.
10. Le Maroc. La monnaie marocaine est le dirham.
11. XVIIIe siècle.

## TEST 14

15 000 étudiants.

## TEST 15

Une puce.

## TEST 16

Sigmund Freud.
Clint Eastwood.

## TEST 17

1. Les Berruyers
2. Les Balbyniens
3. Les Niortais
4. Les Tourangeaux
5. Les Vannetais
6. Les Albigeois
7. Les Bisontins
8. Les Biterrois
9. Les Castrais
10. Les Cristoliens
11. Les Limouxins
12. Les Messins

## TEST 18

385. Il faut déjà calculer combien il y a de CD par boîte :
$255 - 15 = 240$.
$240 : 3$ (boîtes) = 80 CD par boîte.
Donc il lui reste 80 x 5 (puisqu'il a donné 3 boîtes sur 8) = 400 - 15 (les CD donnés) = 385 CD

## TEST 19

Soit le fils a épousé sa mère et ils ont eu une fille, soit la fille a épousé son père et ils ont eu un fils.

## TEST 20

Échangez vos chameaux.

# NIVEAU 3

## TEST 21

32%. Prenons comme hypothèse qu'il y avait 100 admis. 60% de baisse égale 40 réussites. 70% de hausse de 40 égale 28 réussites en plus. Donc 40 + 28 = 68.

## TEST 22

2 100 € : 2 billets de 100 € + 2 billets de 200 € + 3 billets de 500 €.

## TEST 23

1. 2 mois.
2. 4.
3. 114.

## TEST 24

Les trains se croiseront après 5 heures. La mouche aura donc volé 5 x 150 = 750 km.

## TEST 25

C'est la méthode de calcul qui n'est pas exacte. Les 2 euros font partie des 27 euros dépensés.
Ils ont payé 30 € moins 3x1 € qui leur ont été rendus, soit 27 € (dont 25 € à l'hôtel et 2 € au "groom" qui les a gardés).

## TEST 26

7 arrêts.

## TEST 27

1. Le Ghana. La monnaie officielle est le cedi.
2. Maastricht. Signé en 1992, il instaure la libre circulation et résidence des personnes au sein de la Communauté.
3. L'Argentine. La monnaie nationale est le peso argentin.
4. Montesquieu.
5. Le rouble.
6. 15 membres.
7. Réduire l'extrême pauvreté et la faim.

8. Dans un wagon.
9. 2 886 millions.

## TEST 28

1. Vrai. Proposé en 1884, sans suite…
2. Vrai.
3. Faux. Le rougail est une épice très utilisée dans les plats réunionnais.
4. Vrai. Elle fait plus de 6 000 km de longueur.
5. Vrai.
6. Faux. C'est l'Amazone avec ses 7 100 km.
7. Faux. "Glasnost" signifie transparence. C'est l'un des mots d'ordre des réformes de Gorbatchev.
8. Vrai.
9. Faux. C'est Canberra.
10. Vrai. Les Inuits vivent au nord-ouest du Canada.

## TEST 29

Les cacahuètes ne poussent pas sur les arbres.

## TEST 30

270 sièges. Lorsque les n$^{os}$ 95 et 105 se croisent, le n$^o$ 100 se trouve pile à une extrémité du télésiège.
Au même moment, les n$^{os}$ 240 et 230 se croisent, donc le n$^o$ 235 se trouve pile à l'autre extrémité du télésiège.
Il y a donc 2 x 135 = 270 sièges.

## TEST 31

Elle remplit d'abord le pot de 5 dl, puis verse celui-ci dans le pot de 3dl. Il reste donc 2 dl dans son grand pot. Elle met de côté dans un 3$^e$ récipient les 3 dl de son petit pot. Elle reverse les 2 dl de son grand pot dans le petit. Et remplit à nouveau le grand pot. Elle a donc en tout dans le grand pot 5 dl et dans le petit 2 dl. Il ne lui reste plus qu'à remplir le petit pot d'une contenance de 3 dl avec le grand. Elle a donc bien 4 dl dans le grand pot.

# NIVEAU 3

**TEST 32**
Une carte routière.

**TEST 33**
Cynthia : 374 km, Josée : 226 km,
Karine : 431 km.
On suppose que Cynthia a parcouru
200 kilomètres. Josée en a alors
parcouru 200 - 148 = 52. Et Karine
200 + 57 = 257 : ce qui donne 309
kilomètres pour les deux dernières.
Or, Josée et Karine ont un total de
657 kilomètres. Il y a un manque de
657 – 309 = 348. Si on répartit 348
entre Josée et Karine, chacune aura
un ajout de 348 : 2 = 174 kilomètres.
Cynthia a parcouru 374 kilomètres,
Josée 226 kilomètres et Karine 431
kilomètres.

**TEST 34**
Léonie conduit le vélo de Lulu.
La personne qui conduit le vélo de
Lola et porte le chapeau de Léonie
ne peut être ni Lola, ni Léonie, donc
c'est Lulu.Si Lola conduit le vélo de
Lulu, Léonie conduit le sien, ce qui
n'est pas possible.
Donc Lola conduit le vélo de Léonie
et Léonie conduit le vélo de Lulu.

**TEST 35**
58 secondes.
Une bactérie qui se multiplie par 2 en
1 seconde le fait par 4 en 2 secondes.
Donc, avec 4 fois plus de bactéries,
l'économie de temps est de 2 secondes.
Il faut alors 60 – 2 = 58 secondes
pour remplir le bocal.

**TEST 36**
48 jours. Quand Rose commence ce
travail, Agnès a gagné 12 x 40 = 480
euros. Comme Rose gagne 10 euros
de plus par jour, cela prendra
480 / 10 = 48 jours pour qu'elles
aient gagné le même montant.

**TEST 37**
- Des boute-en-train.
- Calembour.
- Ariette (Petite mélodie légère).
- Des œils-de-bœuf.
- Érythèmes (rougeurs de la peau).

**TEST 38**
1. Marshall Mathers.
2. Keith Urban.
3. Sophie Maupu.
4. Shiloh Nouvel.
5. Mérida Rojas Victoria.
6. Paris.
7. Louise.

**TEST 39**
Prendre la chèvre et la déposer de
l'autre côté.
Puis prendre le loup, le déposer et
rapporter la chèvre aussitôt.
Puis en déposant la chèvre on prend
le chou et on l'emporte de l'autre
côté là où il y a le loup, puis on
revient chercher la chèvre et on
la fait traverser.
Le loup, la chèvre et le chou sont
de l'autre côté.

**TEST 40**
Il suffit de prendre le deuxième verre
plein, de le vider dans le second
verre vide, et de le remettre à sa
place.

**TEST 41**
23 marches.
Si Anaïs est sur la marche du milieu,
c'est qu'il y a un nombre impair de
marches.
Et 5 – 10 + 7 + 9 = 11, soit 2 x 11,
plus la marche du milieu : 23 marches.

**NIVEAU 3**

**TEST 42**

La première lettre est O ou G.
La deuxième est R ou U.
La troisième est R ou O.
La quatrième est I ou S.
La cinquième est E ou U.
Il reste à agencer ces lettres.
Le mot est : OURSE.

**TEST 43**

1 725 abeilles.

**TEST 44**

1. 8.
2. Des roches calcaires qui montent du sol vers la voûte d'une grotte.
3. Une bergère.
4. Lorie.
5. Chine.
6. 1989.
7. Argentine.
8. Une vie.
9. Les ballerines de l'Opéra.
10. La mer Noire.

**TEST 45**

Coco Chanel.
Luc Besson.

**TEST 46**

Le dictionnaire.

**TEST 47**

Il faut allumer la première corde des deux côtés et la seconde d'un côté seulement.
La première brûlera en une demi-heure. Au moment où elle finit de brûler il faut allumer la seconde de l'autre côté. Il ne restera plus qu'un quart d'heure à partir du moment où je l'aurai allumée jusqu'à ce qu'elle finisse de se consumer.

**TEST 48**

1. Rouge.
2. En référence aux jeux d'argent (vert, comme les tapis de jeu).
3. Le rose (les couleurs dites fondamentales sont les 7 couleurs de l'arc-en-ciel : violet, indigo, bleu, vert, jaune, orangé et rouge).
4. Le blanc. Car le défunt se transforme en corps de lumière pour l'éternité.
5. Le $XIX^e$ siècle.
6. Parce que le journal l'*Auto* était édité sur papier jaune.
7. L'imminent abordage de pirates.

**TEST 49**

Elle devra choisir une robe à
150 euro – 25 %.
Car 25 % de 150 euros = 37,5 euros.
Et 150 – 37,5 = 112,50.
a) = 119 euros
b) = 112,5 euros
c) = 119 euros
d) = 117 euros

**TEST 50**

C'est la seule qui n'a pas de rosée.

**TEST 51**

Il suffit de dessouder les maillons 6, 17, 38 et 79. Cela nous donne 4 anneaux "uniques" et quatre chaînes d'anneaux comprenant respectivement 5, 10, 20, 40 et 80 anneaux.
Pour payer les 4 premiers repas, on utilise les 4 anneaux uniques.
Pour le 5e, on donne la chaîne de 5 anneaux et on récupère les 4 anneaux uniques, et ainsi de suite…

**TEST 52**

1. Ferréol Dedieu
2. À deux passoires reliées entre elles
3. Un chapeau à longs bords souples
4. Une manche courte et bouffante sur l'épaule

5. Des chaussures lacées
6. Des collants sans pieds
7. Un manteau court évasé avec des manches trois-quarts
8. Une robe droite sans manches

## TEST 53

Il faut procéder par élimination : Essayons 35 : quelqu'un s'est trompé de 5, réponse possible puisqu'il y a 30. Mais quelqu'un s'est trompé de 1. Réponse impossible, il n'y a pas 34. Essayons 33 : il y a 28, mais il n'y a ni 32, ni 34 pour quelqu'un qui s'est trompé de 1. Réponse impossible. Essayons 30 : il y a 25, 29, 28, 33. Cela satisfait à tous les critères, c'est la bonne réponse.

## TEST 54

En tout, Victoire pourrait acheter 15 plantes.
Lorsque Victoire choisit deux ficus, elle a choisi une amaryllis et trois orchidées. Cela fait six plantes pour 100 euros. Si on ajoute une plante de chaque, on augmente de 40 euros. On fait 220 - 100 = 120 et 120 / 40 = 3 ; on additionne 3 à chaque plante. On obtient cinq ficus, quatre amaryllis et six orchidées.

## TEST 55

Il faut actionner l'interrupteur n°1 pendant 2 ou 3 minutes puis le refermer. Puis actionner l'interrupteur n°2 et aller dans la pièce voisine. Si la lampe est chaude et éteinte alors c'est l'interrupteur n°1. Si elle est allumée alors c'est l'interrupteur n°2. Si elle est éteinte et froide alors c'est l'interrupteur n°3.

## TEST 56

Les trois mentent. La première déclaration est un mensonge : quelqu'un a bien mangé le gâteau.

La deuxième déclaration est fausse aussi : si elle était vraie, alors Martin disait aussi la vérité, ce qui n'est pas possible car Fred dit : seulement un d'entre nous dit la vérité.
La troisième déclaration est aussi fausse pour les mêmes raisons.

## TEST 57

1. 61 jours
2. 810
3. 30 jours
4. Carré

## TEST 58

1. J'suis raide. "J'ai plus de thunes" est un tube de "Le 6-9"
2. Et ça vaut mieux que le contraire. Ces paroles sont extraites de "Je ne veux pas être grand" d'Arno.
3. Ni bombes. Extrait de "Colore", l'un des titres des Innocents.
4. Noir Désir. Extrait de "Ici Paris" de l'album "Tostaky".
5. Qu'on nous marie. La chanson "Salade de fruits" est un classique de Bourvil.
6. Ces yeux furibonds. La chanson est de Salvatore Adamo.
7. La Lune. C'est une chanson de Charles Trenet.
8. Désarmée. Extrait de la chanson "Utile" de Julien Clerc.
9. Des cas comme ça. Extrait de "J'ai demandé à la lune" d'Indochine.
10. Son p'tit pain au chocolat. La chanson s'intitule "Le Petit Pain au chocolat".

## TEST 1

121 soldats. Soit n le nombre de figurines, n − 1 est donc divisible par 3, 4 et 5.
Ces entiers étant premiers, leur plus petit commun multiple est leur produit (3 x 4 x 5), soit 60. Donc n − 1 est un multiple de 60. Et n se termine par 1 et il est multiple de 11. Il est donc le produit de 11 avec un nombre dont le chiffre des unités se termine par 1. On essaie avec le premier d'entre eux : 11, ce qui donne 121 (11 x 11). Vérification : 121 − 1 est bien divisible par 60.

## TEST 2

Creuser pour entasser suffisamment de gravats à hauteur de la fenêtre.

## TEST 3

Si les soldats ne pendent pas l'homme alors il a menti, donc il doit être pendu. Il y a contradiction. Mais s'ils le pendent, alors il a dit la vérité et ne devrait pas être pendu. Il y a aussi contradiction.
Dans les deux cas, les soldats ne pourront pas prendre de décision !

## TEST 4

15 minutes. La différence de vitesse entre le tracteur et la carriole est de 15 km/h. Quand le tracteur s'arrête, la carriole qui roule à 45 km/h parcourt la même distance trois fois plus vite que le tracteur. Le tracteur devra donc rouler pendant 15 minutes (3 x 5 minutes d'arrêt) car 45 est égal à trois fois 15 km/h.

## TEST 5

Tautologie.
Ecchymose.

## TEST 6

6 sachets de cinq clous et 10 de sept clous. Comme 5 et 100 sont des multiples de 5, il faut que le nombre de sachets de sept clous soit un multiple de 5. Si le vendeur donne 5 sachets de sept clous, il fournira 13 sachets de cinq clous : ce qui fait 18 sachets en tout. Si le vendeur donne 10 sachets de sept clous, il fournira 6 sachets de cinq clous : ce qui fait 16 sachets en tout.

## TEST 7

9 ans. On passe directement de l'an −1 à l'année 1, il n'y a pas d'année zéro.

## TEST 8

Dodge.
Peugeot.
Ferrari.
Des engrenages à chevrons.
Maserati.
Un drakkar.

## TEST 9

Le vent.

## TEST 10

Aucune, elles sont équivalentes.
En effet, supposons que le prix initial hors taxe soit P euros.
Après l'application de la TVA, le prix est multiplié par 1,196.
Après la réduction, le prix est multiplié par 0,80.
Dans le cas a :
le prix est P x 1,196 x 0,80.
Dans le cas b :
le prix est P x 0,80 x 1,196.

## TEST 11

On prend 1 pain de la première machine, 2 pains de la deuxième, 3 pains de la troisième et ainsi de suite.
Si la balance indique un poids finissant par 100, c'est la première machine qui est déréglée, si elle affiche 200 g, c'est la seconde, etc.

## TEST 12

En posant 99 + (99 : 99) = 100

## TEST 13

Habitué à la circulation à gauche, l'Australien, au moment de traverser la route, tourne spontanément la tête du côté opposé aux deux autres joueurs, habitués à la circulation à droite.

## TEST 14

1. "Que nous sommes à genoux."
2. Étienne de La Boétie.
3. "Il rend visible."
4. Paul Klee.
5. "De l'homme."
6. François Rabelais.
7. "De compter jusqu'à trois."
8. Sacha Guitry
9. "Unissez-vous !"
10. Karl Marx.

## TEST 15

Momo n'est ni au milieu, ni à gauche, donc il est à droite. Comme Momo dit la vérité, Henri est au milieu. Lucien est donc à gauche.

## TEST 16

La faille vient du fait que certains jours ou parties de jours sont comptés deux fois, voire plus. Lorsque l'on doit compter les éléments d'une réunion d'ensembles ayant une partie commune, il faut soustraire le nombre d'éléments de la partie commune qui ont été comptés deux fois. Cela est à l'origine de nombreuses énigmes.

## TEST 17

Voici tous les cas possibles pour obtenir le produit de 36. On décompose 36 en facteurs premiers :
$36 = 1 \times 2 \times 2 \times 3 \times 3$.
D'où les âges possibles pour les trois enfants du plus petit au plus grand :

| Âges possibles des trois enfants | | | somme |
|---|---|---|---|
| 1 | 1 | 36 | 38 |
| 1 | 2 | 18 | 21 |
| 1 | 3 | 12 | 16 |
| 1 | 4 | 9 | 14 |
| 1 | 6 | 6 | 13 |
| 2 | 2 | 9 | 13 |
| 2 | 3 | 6 | 11 |
| 3 | 3 | 4 | 10 |

Parmi ces combinaisons se trouve la bonne solution. Comme Louis a dit que l'indication de la somme du nombre de fenêtres ne pouvait être utile qu'avec l'information que son aîné avait les yeux bleus, c'est qu'il y a une ambiguïté possible : celle où la somme est 13.

Comme il y a un aîné, la seule possibilité est 1 enfant de 9 ans et des jumeaux de 2 ans.

**TEST 18**

10 poignées. Chacun serre la main de 4 personnes. Mais il ne faut pas trop vite conclure que 4 x 5 = 20 poignées de main sont échangées. En fait, c'est 2 fois moins, soit 10, puisque chaque poignée de main concerne 2 personnes qu'il ne faut pas compter 2 fois.

**TEST 19**

Il doit choisir impérativement la boîte étiquetée BILLETS DE 100 ET 200 EUROS.

Il faut partir du fait que les trois boîtes sont mal étiquetées. Par conséquent, celle qui est étiquetée BILLET DE 100 EUROS ET 200 EUROS ne contient que des billets de 100 euros ou que des billets de 200 euros, mais pas les deux. Lorsque l'animateur sort des billets de cette boîte, vous savez donc naturellement ce qu'elle contient et pouvez en déduire ce que contiennent les deux autres qui sont, rappelons-le, toutes les deux mal étiquetées.

**TEST 20**

L'écho.

**TEST 21**

Si Jef a un frère pour 2 sœurs et qu'Élise a 1 sœur pour 3 frères, alors il y a 2 filles et 5 garçons + Jef + Élise. Ils sont donc 3 filles et 6 garçons et sont 9 en tout.

**TEST 22**

L'âge de M. Gregor est un nombre divisible par 3 et par 7, donc par 21. Le multiple de 21 entre 70 et 100 est 84. M. Gregor a 84 ans. Le nombre renversé est 48 et 48 / 4 = 12. Frank a 12 ans.

**TEST 23**

1. Vol de nuit de Saint-Exupéry.
2. Prix Adams, un prix de mathématique en Angleterre. Les autres sont des prix littéraires.
3. Braque est rattaché aux cubistes.
4. Claire Levacher est un chef d'orchestre. Les autres des photographes.
5. Les Bienveillantes de Jonathan Littell.
6. Le naturisme.
7. La Goulue, une danseuse du Moulin-Rouge.
8. Le Lac, de Corot.

**TEST 24**

1. Le Parrain 2 est un film de Francis Ford Coppola, avec Robert de Niro et Al Pacino.
2. Le Parrain 3 est un film de Francis Ford Coppola, avec Al Pacino.
3. Taxi Driver est un film de Martin Scorsese, avec Robert de Niro.
4. Les Incorruptibles est un film de Brian de Palma, avec Robert de Niro.
5. Raging Bull est un film de Martin Scorsese, avec Robert de Niro.
6. Scarface est un film de Brian de Palma, avec Al Pacino.

**TEST 25**

Tout d'abord Fred et Adel traversent : 2 minutes
Ensuite, Fred rapporte la torche : 3 minutes

# NIVEAU 4

Eli et Tarik traversent le pont :
13 minutes
Adel rapporte la torche :
15 minutes
Fred et Adel traversent le pont :
17 minutes

TEST 26
Non. Ils ont versé de l'eau pure dans le whisky, alors qu'ils ont versé du whisky dilué dans l'eau. Ils ont donc échangé la même quantité d'eau que de whisky.

TEST 27
1. La peur de perdre l'odorat.
2. La peur du tonnerre.
3. La peur des cimetières.
4. La peur de traverser la rue.
5. La peur des miroirs.
6. La peur de la fièvre.
7. La peur des chats.
8. La peur du sang.
9. La peur des médecins.
10. La peur du noir.
11. La peur de parler.
12. La peur des souris.
13. La peur des morts.
14. La peur des serpents.
15. La peur des fantômes.
16. La peur des crises de toux.
17. La peur de la saleté.
18. La peur des trains.
19. La peur du chiffre 13.
20. La peur des étrangers.
21. La peur des animaux.
22. La peur des araignées.

TEST 28
C'est un dilemme auquel il est impossible de répondre :
si le crocodile dévore le bébé, la mère a bien deviné et le crocodile doit rendre le bébé. Et si le crocodile ne dévore pas le bébé, la mère s'est trompée et le crocodile doit dévorer le bébé…

TEST 29
42. Il faut traiter le problème à l'envers :
il lui reste 1 graine et les 3 données font la moitié de ce qu'elle avait avant.
Elle avait donc $2(1 + 3) = 8$
au troisième.
Puis $2(8 + 2) = 20$ au deuxième.
Puis $2(20 + 1) = 42$.
Elle avait donc 42 graines.

TEST 30
3 françaises, 2 anglaises et 2 africaines.
Si 6 chanteuses ne sont pas Africaines et une est Australienne, alors le casting comprend $6 - 1 = 5$ européennes.
Or 3 chanteuses ne sont pas des Européennes, la réunion se compose donc de $5 + 3 = 8$ chanteuses.
Et 5 chanteuses ne sont pas Françaises, il y a donc $8 - 5 = 3$ Françaises.
Comme 6 ne sont pas Anglaises, le nombre d'anglaises est de $8 - 6 = 2$.
Comme 6 ne sont pas Africaines, il y a $8 - 6 = 2$ Africaines.

TEST 31
Le niveau baisse quand la pierre est dans l'eau.
Selon le principe d'Archimède, la barque subit une poussée vers le haut d'une force égale au poids du volume d'eau déplacé.
L'ancre dans le bateau déplace ainsi un volume d'eau égal à son poids.
En revanche, plongée dans l'eau, l'ancre ne déplace que son propre volume. Le niveau de l'eau de cet étang a donc baissé.

TEST 32
Chlorhydrique.
Ornithorynque.

TEST 33
Aujourd'hui.

La racine carrée de 616 est 24,8.
Il y a en tout 50 bonbons.
Si Marie a 26 bonbons,
Mariette en a 24. 26 x 24 = 624.
Si Marie a 27 bonbons,
Mariette en a 23. 27 x 23 = 621.
Si Marie a 28 bonbons,
Mariette en a 22. 28 x 22 = 616,
la bonne réponse.
Marie a 28 bonbons
et Mariette a 22 bonbons.

**TEST 35**

Elle se sert de l'arrosoir pour remplir
le trou d'eau. La balle va remonter.

**TEST 36**

1. Vrai.
2. Faux.
3. Faux.
4. Faux.
5. Vrai.
6. Faux.
7. Vrai.
8. Vrai.
9. Faux.
10. Faux.

**TEST 37**

1 502 pages. Le ver traverse 1 page
puis 3 volumes de 500 pages, et enfin
1 page.
Pour mieux comprendre, mettez
5 livres dans votre bibliothèque et
regardez de gauche à droite où se
situent la première page du premier
livre, et la dernière du cinquième
volume.

**TEST 38**

Lundi. "Quand après-demain sera
hier" peut se dire "dans trois jours".
Donc on traduit : "Dans trois jours,
il nous faudra autant de jours pour
atteindre dimanche qu'il nous a fallu,
il y a trois jours, pour que nous soyons

aujourd'hui". Si dans trois jours, il faut
trois jours pour atteindre dimanche,
on est lundi.

**TEST 39**

Non, c'est impossible. Un échiquier
est constitué, par alternance, de 32
cases blanches et 32 cases noires.
Lorsqu'on retire deux cases en coin
diamétralement opposées, on retire
deux cases de la même couleur. Il
reste donc 32 cases d'une couleur et
30 de l'autre. Or un domino recouvre
nécessairement une case blanche et
une case noire.

**TEST 40**

5 pièces montées. 3 pâtissières
confectionnent 4 pièces montées de
5 kg chacune en 6 jours, donc elles
fabriquent 20 kg de pièces montées
en 6 jours.
1 pâtissière seule mettrait trois fois plus
de temps, donc elle confectionnerait
20 kg de pièces montées en 18 jours.
4,5 pâtissières en fabriqueraient 4,5 fois
plus, donc 4,5 pâtissières pourraient
produire 90 kg de pièces montées en
18 jours.
Comme 18 jours = 4 x 4,5 jours,
4,5 pâtissières confectionneraient
90/4 = 22,5 kg de pièces montées
en 4,5 jours.
Or 22,5 kg = 5 x 4,5 kg, donc 4,5
pâtissières produiraient 5 pièces
montées de 4,5 kg chacune en
4,5 jours.

**TEST 41**

1. Chèques.
2. Anna Gavalda.
3. Dans la géographie.
4. Daniel Pennac.
5. Ont la gale.
6. Dante.
7. Ça les instruit.
8. Michel Audiard.

# NIVEAU 4

## TEST 42

Non. En réalité, il y a autant de thé dans le lait que de lait dans le thé.
Au départ, cela ne paraît pas évident car Sybille donne une cuillerée de thé pur alors qu'Amandine ne donne pas une cuillerée pleine de lait.
Mais la tasse de Sybille n'est plus entièrement pleine, ce qui fait qu'elle n'a pas besoin d'une pleine cuillerée de lait.
Par ailleurs chacune se retrouve bien à la fin avec la même quantité de liquide qu'au départ.

## TEST 43

Elle remplit le lavabo puis le laisse se vider et elle remarque alors que l'eau coule dans le sens opposé. En effet, dans l'hémisphère Nord, l'eau tourne dans le sens des aiguilles d'une montre, mais dans le sens contraire dans l'hémisphère Sud.

## TEST 44

67 413. Le premier chiffre est 6, 3 ou 2 (indices 1 et 4). Le deuxième chiffre est 7 (indice 2). Donc, le premier chiffre est 6 et le dernier est 3. La somme des deux chiffres qui manquent est 5 (indice 6). Le quatrième chiffre est 1 (indices 3 et 5).

## TEST 45

La solution est 2 :
Nadia prend 2 allumettes. Jeanne peut prendre 1, 2 ou 3 allumettes.
Dans ces différents cas de figure, Nadia prendra 3, 2 ou 1 allumettes, ramassant ainsi la 6$^e$ allumette (il en reste alors 5 sur la table).
Dès lors, quelle que soit la prise de Jeanne (1, 2 ou 3) Nadia ramassera 3, 2 ou 1 allumettes, laissant ainsi la dernière allumette à Jeanne.

## TEST 46

Charlotte. En effet, elle rattrape son amie à la marque des 95 mètres et la dépasse sur les 5 mètres restants.

## TEST 47

L'oiseau.

## TEST 48

Les enclos sont emboîtés les uns dans les autres, c'est-à-dire que l'enclos 1 est dans l'enclos 2, qui est lui-même dans l'enclos 3.

## TEST 49

112 pages. De 1 à 9, il y a neuf chiffres. De 10 à 99, il y a 180 chiffres, soit 20 chiffres par dizaine.
Cela donne un total de 189 chiffres.
Par la suite, chaque numéro de page est formé de trois chiffres.
De 189 à 228, on compte
228 − 189 = 39 chiffres.
Comme on est dans la tranche des nombres de trois chiffres, on a paginé 39 : 3 = 13 pages après 99.
On fait 99 + 13 = 112.

## TEST 50

- Vol de nuit, par Saint-Exupéry.
- Catégorie nouvelle.
- L'Âge d'airain, de Rodin.
- Vincent Van Gogh, post-impressionnisme.
- Antoine Bourdelle, sculpteur.
- Duchamp, fondateur du ready-made.

## TEST 51

Le sphinx.

1. Grace Kelly :
   La Main au collet
2. Janet Leigh :
   Psychose
3. Tippi Hedren :
   Pas de printemps pour Marnie
4. Eva Marie Saint :
   La Mort aux trousses
5. Kim Novak :
   Sueurs froides
6. Doris Day :
   L'homme qui en savait trop

Aïda et 24 minutes.
Myriam parcourt une distance de
240 km à la vitesse moyenne de
100 km/h. Elle va donc mettre
2 h 24 min pour parcourir la distance.
Aïda parcourt une distance de 100 km
(Tours-Poitiers = 340 – 240 = 100 km),
à la vitesse moyenne de 50 km/h.
Elle va donc mettre 2 h pour atteindre
Tours.
Ainsi, Aïda va mettre moins de temps
que Myriam pour atteindre Tours
et elle attendra 24 min
(2 h 24 – 2 h = 24 min).

## TEST 1

Pierre : 7.    Paul : 18.    Jacques : 2.
À la fin de la partie, Pierre a 8 euros, Paul 9 et Jacques 10.
Comme 9 est impair, seul Paul a pu perdre la dernière partie. Avant celle-ci leurs avoirs étaient :
Pierre 4, Paul 18, Jacques 5.
Comme 5 est impair, Jacques a perdu l'avant-dernière partie. Ce qui donne :
Pierre 2, Paul 9, Jacques 16.
Paul perd à la troisième partie, ils avaient avant :
Pierre 1, Paul 18, Jacques 8.
Pierre perd à la deuxième et ils avaient avant :
Pierre 14, Paul 9, Jacques 4.
Paul perd à la première partie et ils avaient :
Pierre 7, Paul 18 et Jacques 2.

## TEST 2

Vous avez 25 ans. J'ai 40 ans et 4 fois l'âge que vous aviez, soit $40 = 4 \times y$.
Donc $y = 10$. Et z, l'âge que vous avez et x, l'âge que j'avais, soit $z = x$.
L'écart entre les âges est le même quelle que soit l'époque, donc :
$x - 40 = 10 - x$.
Soit $2x = 50$,
$x = 25$ et $y = 25$.

## TEST 3

Il s'agit de l'écriture. Le champ blanc c'est la feuille de papier, la semence noire est l'encre, les 5 hommes sont les 5 doigts de la main qui écrit et les deux autres hommes sont les yeux de l'écrivain. Et l'écriture, la nourriture de l'esprit…

## TEST 4

8 000 Papous pas papas à poux et 16 000 papas pas Papous à poux.
On sait qu'il y a 240 000/10 (têtes) = 24 000 habitants concernés par les poux, qui se répartissent en 1/3 et 2/3. Donc 16 000 pas Papous et 8 000 papous.
Examinons maintenant tous les sous-groupes possibles :
Il y a 3 oppositions binaires imbriquées donc : $2 \times 2 \times 2 = 8$ groupes possibles.
Dans l'énoncé, les 2 groupes pour lesquels on attend une réponse sont des groupes à poux.
On peut donc déjà éliminer les 4 groupes "pas à poux" il en reste 4.
Sur les 4 qui restent 2 sont éliminés par l'énoncé, il en reste 2 ! Inutile d'aller plus loin.
Donc nous avons bien 8 000 Papous pas papas à poux et 16 000 papas pas Papous à poux.

L'histoire originale vient de Gaston Lagaffe, de Franquin, qui lui imaginait un $4^e$ niveau d'imbrication, les poux papas et les poux pas papas…

## TEST 5

656. Le premier chiffre est 3, 6 ou 9. Les deux premiers chiffres sont 30, 35, 60, 65, 90 ou 95. Les trois premiers chiffres possibles sont 304, 352, 608, 656, 904, 952. Le nombre cherché est donc 656.

## TEST 6

1. Non. La lampe à néon a été mise au point en 1902.
2. Oui. Le saxophone a été inventé en 1846 par Adolphe Sax.
3. Oui. La recette du Coca-Cola a été inventée en 1886 par John S. Pemberton, un pharmacien américain.
4. Non. Le premier revolver a été inventé en 1835 par Samuel Colt.
5. Oui. La conserve (l'appertisation) a été inventée en 1795 par Nicolas Appert.
6. Oui. Le premier engin qui s'envola a été inventé en 1782 par les frères Montgolfier.
7. Non. Le téléphone a été inventé en 1876 par Graham Bell.
8. Oui. Les émissions de télévision ont commencé à être commercialisées en 1920.

## TEST 7

"Amène-moi au village de ta tribu". Voici pourquoi : si le passant dit la vérité, il amène l'ethnologue au bon village et si le passant est un membre de la tribu des menteurs, il amène Sylvain à l'autre village parce qu'alors il dit un mensonge.

## TEST 8

50 victimes en tout.
$4 + 12 + 5 + 1 + 1 = 23$
plus $1/2 + 1/25$ (le cinquième du cinquième).
Soit $25/50 + 2/50 = 27/50$.
$23 + 27 = 50$

## TEST 9

Félix : 7 euros. Sébastien : 1 euro. Ils ont utilisé 8 bûches pour trois personnes. Cela signifie qu'une personne seule aurait utilisé 8/3 de bûche.
Félix a donc fourni :
$5 - 8/3 = 15/3 - 8/3 = 7/3$ de bûches de trop par rapport à ce qu'il aurait consommé pour lui-même.
De même, Sébastien a apporté :
$3 - 8/3 = 9/3 - 8/3 = 1/3$ de bûche de trop par rapport à ce qu'il aurait consommé seul. Les 8 euros donnés par Julien correspondent au tiers du prix des 8 bûches utilisées, donc 8 bûches coûtent 24 euros, et une bûche coûte 3 euros.
Félix doit donc obtenir 7/3 de 3 euros, soit 7 euros, et Sébastien 1/3 de 3 euros, soit 1 euro.

## TEST 10

Aucun des trois n'ayant reçu la même sentence, le président sera limogé, le Premier ministre ne sera pas emprisonné et le ministre de l'Économie et des Finances sera libéré.
Donc le président sera emprisonné, le Premier ministre limogé, et le ministre de l'Économie et des Finances libéré.

## TEST 11

1. 1948.
2. Le 14 juillet.
3. Du citoyen.
4. Tous les êtres humains naissent libres et égaux en dignité et en droits.

5. La Révolution française de 1789.
6. Montesquieu.
7. Rousseau.
8. Celui qui parle.
9. La Rome antique.
10. De Terre.

## TEST 12

6,28 m de corde supplémentaire.
En effet le rayon (r) du cercle autour de la Terre augmenterait de 1m, c'est à-dire la hauteur d'un poteau. Or la circonférence d'un cercle est de 2 x 3,14 x r.
Donc, si le rayon augmente de 1m, la circonférence augmente de 2 x 3,14 x 1, soit 6,28 m.

## TEST 13

Un peu moins de 12 heures.
1 + 1/2 + 1/3 + 1/4 =
24/24 + 12/24 + 8/24 + 6/24 = 50/24
soit pour une journée :
50/24 x 24 heures = 11,52 heures.

## TEST 14

Stéphane. Pat a la Ducati (indices 2 et 5). Christian n'a pas la Kawasaki (indice 4). Christian n'a pas la Harley (indice 5). Donc, Christian a la Triumph. Ivan n'a pas la Kawasaki (indices 3 et 4). Donc, Ivan a la Harley et Stéphane a la Kawasaki.

## TEST 15

Non. Les chats aux yeux verts sont non dressés. Les chats non dressés n'aiment pas le poisson. Les chats qui n'aiment pas le poisson n'ont pas de moustaches. Les chats sans moustaches n'ont pas de queue. Et les chats sans queue ne jouent pas avec les gorilles.

## TEST 16

Il y a dans l'énoncé huit affirmations et sept relations d'ordre qu'il faut distribuer :
Maison 1 : jaune, Norvégien, eau, Dunhill, chats.
Maison 2 : bleu, Danois, thé, Blend, cheval.
Maison 3 : rouge, Anglais, lait, Pall Mall, oiseaux.
Maison 4 : verte, Allemand, café, Prince, poisson.
Maison 5 : blanc, Suédois, bière, Blue Master, chiens.
C'est donc l'Allemand qui a le poisson.

## TEST 17

76. Les années 1700, 1800 et 1900 ne furent pas bissextiles. Pour être bissextiles, les années du siècle doivent être divisibles par 400. Les années 1600 et 2000 sont bissextiles.
Au XVIIe siècle, il y eut trois cérémonies : 1688, 1692 et 1696.
Au XVIIIe siècle, il y eut 24 cérémonies : 1704, 1708, 1712, 1716,… 1796.
On divise par 4 le nombre formé des deux derniers chiffres : 96 : 4 = 24.
Au XIXe siècle, il y eut 24 cérémonies : 1804, 1808, 1812, 1816,… 1896.
Au XXe siècle, il y eut 25 cérémonies : 1904, 1908, 1912, 1916,… 2000.
Au total, il y aura eu 76 cérémonies spéciales.

## TEST 18

1. Faux.
2. Vrai.
3. Vrai.
4. Faux.
5. Vrai.
6. Faux.
7. Vrai.
8. Faux.
9. Faux.
10. Faux.
11. Vrai.

**TEST 19**

Michel. Rappel : le volume d'un cylindre vaut "longueur x aire de la base" avec :
"aire de la base = 3,14 x rayon x rayon".
Ici, le cylindre est une citerne de diamètre 2 m, c'est-à-dire de rayon 1 m (rayon = diamètre : 2 = 1 m) et de longueur 10 m.
D'où, aire de la base =
3,14 x 1 x1 = 3,14.
Et, volume de la citerne =
3,14 x 10 = 31,4 m³.
Or, 1 m³ = 1 000 dm³ ou 1 000 litres.
Donc volume de la citerne =
31 400 litres.
Il faudrait donc 31 400 bouteilles pour vider la citerne. Ainsi, même l'estimation de Michel est encore en dessous de la vérité, toutefois il a donné l'estimation la plus proche du vrai résultat.

**TEST 20**

Verser 1,2 litre de peinture noire dans le verre doseur. Il reste alors 3 − 1,2 = 1,8 litre de peinture dans le pot de noir. Prenons le pot de peinture blanche, et complétons le pot de noir avec de la peinture blanche. Il y aura alors dans le pot de noir 3 litres de peinture grise, composée de 1,8 litre de noir et 1,2 litre de blanc, soit une proportion de 1,8/3 = 18/30 = 3/5 de noir, et 1,2/3 = 12/30 soit 2/5 de blanc.
Notons que le pot de peinture blanche contient maintenant 2 − 1,2 = 0,8 litre de blanc. Complétons le pot de peinture blanche avec le contenu du verre doseur (soit 1,2 litre de noir). Le pot de peinture blanche contient maintenant une proportion de 1,2/2 = 12/20 = 3/5 de noir, et 0,8/2 = 8/20 = 2/5 de blanc, soit la même proportion que dans le pot de noir…

**TEST 21**

Chaque phrase contient toutes les lettres de l'alphabet de A à Z.
Ce sont des pangrammes.

**TEST 22**

31 œufs. On trouve la solution en partant de la fin de l'énoncé. S'il reste trois œufs, la fermière en avait :
(3 + 1/2) x 2 = 7 avant d'en vendre au troisième client. Elle en avait :
(7 + 1/2) x 2 = 15 avant le deuxième client et (15 + 1/2) x 2 = 31, initialement.

**TEST 23**

Rien. Rien est plus puissant que Dieu. Rien est plus méchant que le diable. Le pauvre a Rien. Le riche a besoin de Rien. Si vous mangez Rien, vous mourrez.

**TEST 24**

10 euros. Enlevez d'abord de la somme totale le $1^{er}$ paiement multiplié par le nombre de termes, soit :
1860 − 1200 (100 euros x 12 mois) = 660
Multipliez ensuite le nombre de termes restant (11) par la moitié des termes annuels (6), vous obtenez le nombre 66, et divisez 660 par 66, le quotient fait 10, c'est la différence retranchée : le premier paiement étant de 100, le $2^e$ de 110, le $3^e$ de 120 jusqu'au dernier de 210.

**TEST 25**

8 convives. Supposons que la petite fête réunit n personnes. Chacune d'entre elles trinque avec (n − 1) personnes (toutes les autres moins elle-même). Soit au total, n(n − 1) :
2 tintements (on divise par 2 car lorsque par exemple Josie trinque avec Paul, Paul ne va pas trinquer avec Josie).
Donc n(n −1) = 56 (2 x 28),
ou n² − n = 56, ou n = n² − 56,
on peut en déduire que n = 8 (64 − 56).

## TEST 26

Melissa loge au Miramar, chambre 305.
Ariane au Maritim, chambre 419.
Et Karine au Palm Beach, chambre 538.

## TEST 27

La phrase à dire est : "Êtes-vous tous les deux des menteurs ?"

Si la réponse est oui, alors on s'adresse au menteur, puisque l'on sait qu'il y a un garde qui ne ment pas.

Si la réponse est non, alors on s'adresse à celui qui dit la vérité, puisque sa réponse signifie qu'il y a au plus un menteur, ce qui est vrai.

## TEST 28

49. Soixante-dix millièmes =
$60 \times 1/10\,000 = 60 \times 0,0001 = 0,006$.
Soixante-dix millièmes =
$70 \times 1/1\,000 = 70 \times 0,001 = 0,07$.
$(0,07 - 0,006) \times 1\,000 = 64$, voilà pour la première partie.

Pour la seconde, soit F l'année de naissance de Marine :

"Le double de ton année de naissance augmenté de 15" donne $2F + 15$ car c'est le double qui est augmenté.

"Le double de ton année de naissance augmentée de 15" donne $2(F + 15)$ car c'est l'année de naissance qui est augmentée.

$64 + 2F + 15 - 2(F + 15) =$
$64 + 2F + 15 - 2F - 30 = 49$.
Elle doit se rendre au n° 49.

## TEST 29

1. Oui. La lampe à néon a été mise au point en 1902.
2. Oui. Le saxophone a été inventé en 1846 par Adolphe Sax.
3. Oui. La conserve (l'appertisation) a été inventée en 1795 par Nicolas Appert.
4. Oui. La recette du Coca-Cola a été inventée en 1886 par John S. Pemberton, un pharmacien américain.
5. Oui. Le premier engin qui s'envola a été inventé en 1782 par les frères Montgolfier.
6. Non. Le téléphone a été inventé en 1876 par Graham Bell.
7. Oui. Les émissions de télévision ont commencé à être commercialisées en 1920.
8. Oui. Le premier revolver a été inventé en 1835 par Samuel Colt (inventeur américain du Colt).

## TEST 30

12 oies, 9 coqs et 8 canards.
5 oies ont un canard à leur gauche, donc 5 canards ont une oie à leur droite.
Or 3 canards ont un coq à leur droite. Et comme aucun canard n'a un canard à sa droite, il y a :
5 + 3 = 8 canards.
7 coqs ont une oie à leur droite, donc 7 oies ont un coq à leur gauche. Et comme 5 oies ont un canard à leur gauche et qu'aucune oie n'a d'oie à sa gauche, il y a :
7 + 5 = 12 oies.
Nous venons de voir qu'il y a 8 canards. 3 sont placés entre deux oies et trois autres ont un coq à leur droite (et donc une oie à leur gauche, car sinon ils seraient entre deux coqs). Puisque aucun canard n'a un canard pour voisin, les deux derniers canards ont forcément une oie à leur droite et un coq à leur gauche.
Donc 2 coqs ont un canard à leur droite… Et comme 7 coqs ont une oie à leur droite et qu'aucun coq n'a de coq à sa droite, il y a donc :
2 + 7 = 9 coqs.

## TEST 31

1. Le Rainbow Warrior.
2. Le 5 juin.
3. La Confédération paysanne.
4. 800 kg de pétrole brut.
5. Panda.
6. Mahatma Gandhi.
7. 6 fois plus.
8. Organisme génétiquement modifié.
9. La Rochelle.
10. 35 000 litres.

## TEST 32

Bien sûr le vieux conseiller n'a pas donné la moitié du troupeau à l'aîné ni le tiers au deuxième, pas plus que le neuvième au troisième.

Ce curieux résultat, paradoxal au premier abord, s'explique si l'on remarque que la somme des fractions 1/2, 1/3 et 1/9 est de 17/18 et non l'unité 18/18.

Par suite, en suivant à la lettre les instructions du père et en supposant qu'on ait pu faire le partage, il serait resté une partie de la succession, c'est-à-dire 1/18 de cette succession sans possesseur.

Cependant il a respecté les proportions entre les trois héritiers. Les nombres obtenus sont proportionnels à 1/2, 1/3 et enfin 1/9 :

en effet 6 représente 2/3 de 9 (ce qui est le rapport de 1/3 et de 1/2) ;
2 représente 2/9 de 9 (ce qui est le rapport de 1/9 et de 1/2).

Le partage est bien équitable.

## TEST 33

Mme Isadora doit commencer par placer trois sacs sur chaque plateau de la balance.

$1^{re}$ possibilité :

la balance s'équilibre, ce qui signifie que le sac le plus lourd est forcément parmi les deux sacs restants. Il lui suffit donc de peser les deux sacs restants (chacun d'un côté de la balance) pour déterminer lequel des deux est le plus lourd.

On arrive bien à deux pesées.

$2^e$ possibilité :

la balance penche d'un côté. Cela signifie que le sac le plus lourd fait partie des trois sacs placés sur le plateau le plus bas. Il suffit alors de mettre de côté un de ces trois sacs et de peser les deux autres (chacun sur un plateau).

Si la balance reste à l'équilibre, le sac d'épices le plus lourd est celui qui a été mis de côté. Sinon, c'est bien évidemment celui qui fait pencher la balance.

## TEST 34

27 petits-fours. Pour 3 filles il y avait exactement 5 garçons et il n'y a que 5 verres de cocktail pour 6 garçons. Pour avoir une chance d'obtenir une solution cohérente, le nombre de garçons doit être un multiple de 5 et 6, donc un multiple de 30. Et puisque pour 5 garçons il y a trois filles, le nombre de filles est au minimum 18. Mais il y a trois petits-fours pour quatre filles. Le nombre de filles est donc un multiple commun à 4 et 18, donc un multiple de 36. Pour 3 filles, il y a 5 garçons, donc pour 36 filles, il y a 5 x 12 = 60 garçons. Ce qui donne déjà 96 invités, et exclut donc toute autre possibilité supérieure. Il y a par conséquent 36 filles, 60 garçons et 3/4 de 36 = 27 petits-fours.

## TEST 35

40 talents.
Soit x le poids total.
$x = 1/2 + 1/8 \, x + 1/10 \, x + 1/20 \, x + 9$.
$40 \, x = 20 \, x + 5 \, x + 4 \, x + 2 \, x + 360$.
$9 \, x = 360$.
$x = 40$.

## TEST 36

Les deux montres afficheront la même heure dans 12 heures.

Il y a 43 200 secondes en 12 heures. Chaque heure les montres se décalent de 2,5 secondes (1 + 1,5). Appelons x le nombre d'heures cherché.

L'équation du problème est :

$2,5 x = 43 200$ soit $x = 43$.

$200/2,5 = 17 280$ heures $= 720$ jours. La montre de Prunelle sera de nouveau à l'heure dans 1 800 jours (43 200 heures).

Celle de Clémentine dans 1 200 jours (43 200/1,5 heures).

Les deux montres indiqueront l'heure exacte dans 3 600 jours (plus petit multiple commun à 1 200 et 1 800)

## TEST 37

40 m².

Il y a 4 murs à peindre :

deux en largeur, deux en longueur. Un mur en largeur mesure 3 m sur 2,5 m. Sa surface vaut donc 7,5 m². Un mur en longueur mesure 5 m sur 2,5 m. Sa surface vaut donc 12,5 m². Soit en surface totale :

$(2 \times 7,5) + (2 \times 12,5) = 40$ m²

## TEST 38

1704. Car :

Naissance de Pascal :

$1627 - 4 = 1623$.

Naissance de Descartes :

$1623 - 27 = 1596$.

Mort de Descartes :

$1650 + 54 = 1704$.

Mort de Malebranche :

$1650 + 65 = 1715$.

Mort de Pascal :

$1715 - 53 = 1662$.

Naissance de Malebranche :

$1662 - 24 = 1636$.

Donc mort de Bossuet :

$1638 + 66 = 1704$.

## TEST 39

À la 1re question, la réponse est forcément : "Mes yeux sont noirs". En effet, si la 1re a les yeux noirs, elle dit la vérité ; sinon ses yeux sont bleus et elle ment en disant "Mes yeux sont noirs". Mais la réponse reste la même.

La 2e question permet alors de savoir si la 2e esclave ment. C'est le cas puisqu'elle aurait dû dire "Elle a dit : Mes yeux sont noirs". La 2e a donc les yeux bleus.

La 3e question montre que la 3e esclave dit la vérité, puisqu'une partie de sa réponse "yeux bleus" est assurément vraie. Donc tout ce qu'elle dit est vrai et elle a en conséquence les yeux noirs. Par ailleurs elle dit que la 1re a les yeux noirs.

Finalement, la 1re et la 3e ont les yeux noirs. Les 3 autres ont donc les yeux bleus.

## TEST 40

Trois voitures, six femmes et trois hommes.

Chaque enfant est accompagné de deux femmes et d'un homme : il y a donc deux femmes et un homme par voiture.

Chaque femme est accompagnée de trois enfants : il y a donc trois enfants, deux femmes et un homme par voiture. Et comme au total il y a neuf enfants, il y a en tout trois voitures, six femmes et trois hommes.

**TEST 41**

Non.
En effet Milène a mangé 4 sandwichs.
Elle en a donc donné 3.
Pauline a mangé 4 sandwichs, elle
en a donc donné 1.
Milène devrait donc prendre les 3/4
des 12 euros, soit 9 euros, et Pauline
3 euros.

**TEST 42**

1. Faux.
2. Vrai.
3. Vrai.
4. Vrai.
5. Vrai.
6. Faux.
7. Vrai.
8. Faux.
9. Faux.
10. Vrai.
11. Faux.
12. Vrai.

**TEST 43**

1. André Malraux.
2. Jules Renard.
3. Jacques Sternberg.
4. Jean d'Ormesson.
5. Eugène Ionesco.
6. Louis-Ferdinand Céline.
7. Bernard Werber.
8. Paolo Coelho.
9. Paul Auster.
10. J.R.R. Tolkien.
11. Victor Hugo.
12. Amélie Nothomb.
13. Herman Melville.
14. Charles Baudelaire.
15. Alexandre Dumas.
16. Anne Rice.
17. Marcel Proust.
18. Honoré de Balzac.
19. Marguerite Yourcenar.
20. Lewis Carroll.

# BONUS

## BONUS 1

L'énigme de Polytechnique.
Supposons qu'un seul moine soit
malade. Lors de l'annonce du Père
supérieur, celui-ci constate forcément
qu'aucun autre moine n'est malade,
mais comme la maladie frappe bel et
bien le monastère, c'est que lui-même
est malade, et c'est le seul. Il devrait
donc partir après la première annonce
du Père supérieur.

S'il y a 2 moines malades, chacun
des 2 moines malades voit qu'un
autre est malade. Mais ils ne savent
pas si eux-mêmes sont malades. Ils
attendent donc la fin de la première
annonce. Aucun d'eux ne se lève car
ils ne savent pas s'ils sont malades.
Mais à la fin de la réunion, comme
aucun d'eux ne s'est levé, ils savent
qu'il y a plus qu'un seul malade, car
sinon on serait dans le cas précédent
et l'unique malade serait parti à la fin
de la première réunion. Ils sont donc
bien tous les deux malades et, le
lendemain, dès l'annonce du Père
supérieur, ils peuvent se lever et partir
car ils savent maintenant qu'ils sont
les 2 seuls malades.

Faisons l'hypothèse que s'il y avait
N malades, ils pourraient partir juste
après la Nième annonce du Père
supérieur car ils sauraient tous qu'ils
sont malades.

Supposons qu'il y ait N + 1 malades,
chacun d'eux en voit N autres, mais
ils ne savent pas s'il y a N malades
ou bien N + 1 car ils ne savent rien
en ce qui les concerne eux-mêmes.
Ceux-ci doivent donc attendre la fin
de la réunion du Nième jour pour
savoir s'ils sont malades. S'ils étaient
N, ils seraient partis à la fin du Nième
jour d'après l'hypothèse. S'ils ne sont
pas partis le Nième jour, c'est qu'ils
sont N + 1, et ils peuvent donc partir
juste après la (N + 1)ième annonce.
Comme l'hypothèse est vraie pour
N = 1, et que nous venons de vérifier
la récurrence, l'hypothèse est donc
toujours vraie.

En conclusion, tel qu'est posé
l'énoncé, les moines malades sont
donc 3. Et le fait qu'ils soient 40 au
départ n'est là que pour embrouiller
les esprits.

## BONUS 2

Le numéro est multiple de 21, donc sa décomposition en facteurs premiers comprend 3 x 7 (1).

Le numéro est multiple de 18, donc sa décomposition en facteurs premiers comprend 3 x 3 x 2 (2).

Le numéro est multiple de 28, donc sa décomposition en facteurs premiers comprend 2 x 2 x 7 (3).

Le numéro est multiple de 63, donc sa décomposition en facteurs premiers comprend 3 x 3 x 7 (4).

Le numéro est multiple de 8, donc sa décomposition en facteurs premiers comprend 2 x 2 x 2 (5).

Le numéro est multiple de 12, donc sa décomposition en facteurs premiers comprend 2 x 2 x 3 (6).

La décomposition du nombre en facteurs premiers comporte :
3 x 3 (vérifié par (2) et (4)),
2 x 2 (vérifié par (3), (5) et (6)) et
7 (vérifié par (1), (3) et (4)).
Les affirmations de chacune des chauve-souris sont confirmées par celles d'une autre chauve-souris, sauf la (5). En effet, on ne retrouve nulle part ailleurs le fait que la décomposition comporte trois "2".

C'est donc la chauve-souris (5) qui s'est trompée dans ses calculs, et le nombre n'est pas divisible par 8.

Sa décomposition comporte
2 x 2 x 3 x 3 x 7 soit 252. Puisque le nombre est inférieur ou égal à 750, c'est donc 252 ou 504. Mais si c'était 504, la chauve-souris (5) ne se serait pas trompée dans ses calculs, puisque le 504 est divisible par 8.
Donc Richard doit ouvrir la porte 252.

## BONUS 3

Il y a une princesse dans chacune des deux cellules…
D'après l'affiche 1, soit il y a un dragon dans la cellule 1, soit il y a une princesse dans la cellule 2 (soit les deux). Si l'affiche 2 était fausse, il y aurait un dragon dans la cellule 1, et l'affiche 1 serait donc vraie.
Mais si l'affiche 2 était fausse, l'affiche 1 le serait aussi.
Donc l'affiche 1 et l'affiche 2 sont toutes les deux vraies.
Comme l'affiche 2 est vraie, il y a une princesse dans la cellule 1.
Puisque la première proposition de l'affiche 1 est fausse, la deuxième est vraie, donc il y a une deuxième princesse dans l'autre cellule.

## BONUS 4

Si André avait 100 dominos, Dominique en aurait 200. D'où, André a plus de 100 dominos.
Comme André donne le quart de ses dominos à Simon, son nombre doit être divisible par 4. On construit un tableau en faisant l'hypothèse qu'André a successivement 104, 108, 112, … dominos. Par exemple, si André a 104 dominos, Dominique en aurait 192 et Simon 24. Comme André donne le quart de ses dominos à Simon, on soustrait de 200 le nombre de dominos de Simon et on multiplie la différence par 4. On devrait obtenir le nombre de départ pour André.
Dans cette première hypothèse, André aurait (200 − 24) x 4 = 704 dominos : ce qui est différent de 104 qui est le nombre de dominos appartenant à André au départ.

| André | Dominique | Simon | André |
|-------|-----------|-------|-------|
| 104 | 192 | 24 | 704 |
| 108 | 184 | 48 | 608 |
| 112 | 176 | 72 | 512 |
| 116 | 168 | 96 | 416 |
| 120 | 160 | 120 | 320 |
| 124 | 152 | 144 | 224 |
| **128** | **144** | **168** | **128** |

Le nombre de dominos appartenant
à chacun est dans la dernière ligne,
puisque, à la fin, on obtient le nombre
de départ pour André.
Les trois amis ont donc :
$128 + 144 + 168 = 440$ dominos.

### BONUS 5
Un miroir.

### BONUS 6
Jef a commis l'erreur de sa vie. Sur
l'échiquier, il va devoir mettre 1 euro
sur la première case, soit $2^0$. Sur la
deuxième case, 2 euros, soit $2^1$. Et
ainsi de suite, jusqu'à la 64e case qui
contiendrait $2^{63}$ euros.
La somme exacte d'euros que devra
donner Jef le nabab sera donc égale
à : $2^0 + 2^1 + 2^2 + ...2^{63} = 2^{64-1}$, soit
18 446 744 073 709 551 615 euros.
Il a perdu :
18 446 744 073 699 551 615 euros de
plus que la première enchère.

### BONUS 7
Le plus petit nombre de six chiffres est
100 000. Sa racine carrée est 316,22.
Le carré de 317 est 100 489.
Le carré de 316 est 99 856.
La différence est $100 489 - 99 856 = 633$.
Le fils d'Arthur a vécu 633 jours,
il a donc 1 an et 8 mois.

### BONUS 8
Considérons l'énoncé Paul 2. Si Paul 2
est faux, alors la note de René est A
ou B. Si Stéphane 1 est faux, alors la
note de Stéphane est D, E, F ou G et
si Nicolas 2 est faux, alors la note de
René est E, F ou G. Donc Paul 2,
Stéphane 1 et Nicolas 2 ne peuvent
être tous faux en même temps, donc
au moins une de ces affirmations
est vraie et toutes les autres sont
nécessairement fausses.
De Stéphane 2 (faux) Nicolas n'a pas
A et Paul n'a pas G. De René 1 (faux),
René n'a pas A. De Paul 1 (faux),
quelqu'un a eu un A, donc, par
élimination, Stéphane possède un A.
Stéphane 1 est donc vrai et Paul 2 et
Nicolas 2 sont faux. Donc de Paul 2,
on a que René a A ou B, mais René
ne peut avoir A car Stéphane possède
déjà un A, donc René a un B.
De Nicolas 1, Nicolas a un E ou D ou
C mais de Stéphane 2 la note de
Nicolas est inférieure à celle de Paul.
Paul ayant D, E ou F, Nicolas a donc
E et Paul a un D.
Résumons : l'énoncé vrai est le premier
de Stéphane : Paul a D, René B,
Stéphane A et Nicolas E.

## BONUS 9

Les paysannes avaient 60 et 40 œufs.
Soit z et y le nombre d'œufs respectifs
des 2 paysannes. Alors $z + y = 100$.
Soit q et p les prix respectifs de chaque
œuf. Elles ont reçu la même somme
alors $z p = y q$.
Si j'avais eu tes œufs, j'aurais reçu
15 kreutzers : alors $y q = 15$.
Et si moi, j'avais eu tes œufs, j'aurais
reçu 6 kreutzers et 2/3 :
alors $z p = 20/3$ soit $(6 + 2/3)$.
Il existe donc 4 équations :
$p : q = y : z$.
$y p : z q = 15$ divisé par $20/3$
ou encore
$(y : z) \times (p : q) = 45/20 = 9/4$.
Comme $p : q = y : z$,
on peut écrire :
$(y : z) \times (y : z) = 9/4$
ou encore $(y : z)2 = 9/4$,
d'ou $y : z = 3/2$
ou encore $3z = 2y$.
Comme $y = 100 - z$,
$3z = 2(100 - z) = 200 - 2z$,
ou encore $5z = 200$
et $z = 200/5 = 40$
et par suite, $y = 60$.

## BONUS 10

Comme sept tables sont réservées,
le nombre de clients au maximum
est $100 - 28 = 72$.
Comme une table accueille trois
clients, le nombre maximum est 71.
Comme il y a deux fois plus de
femmes que d'hommes, le nombre
de clients est divisible par 3.
On suppose qu'il y a 69 clients.
On aurait 17 tables de quatre et
un client restant.
On suppose qu'il y a 66 clients.
On aurait 16 tables de quatre et
deux clients restants.
On suppose qu'il y a 63 clients.
On aurait 15 tables de quatre et
trois clients restants.

Ces trois clients peuvent occuper
une table. Voici un tableau qui illustre
ces hypothèses :

| Clients | Tables de 4 | Clients |
|---------|-------------|---------|
| 69 | 17 | 1 |
| 66 | 16 | 2 |
| 63 | 15 | 3 |

Il y avait donc 63 clients au maximum
"Chez ma Poule"...

## BONUS 11

$N = 17^e$ jour. $X = 7^e$ mois.
$Y = 37^e$ année.
$A = 3$ hélices. $B = 3$ cheminées.
$C = 101$ hommes d'équipage.
Et le capitaine a 64 ans.
Soit R la racine cubique de l'âge
du capitaine. On a donc :
$ABCNXY + R = 4\,002\,331$. Or,
ABCNXY est un entier, donc R aussi.
Comme le capitaine est grand-père,
le seul âge possible dans la liste des
cubes $(1, 8, 27, 64, 125...)$ est 64.
Donc $R = 4$.
D'où $ABCNXY = 4\,002\,327$, qui est
composé en produit de nombres
premiers, donne :
$ABCNXY = 3 \times 3 \times 7 \times 17 \times 37 \times 101$.

## BONUS 12

10. C'est le nombre de sous-programmes
nécessaires pour satisfaire aux conditions
posées. À partir de 5 éléments, on peut
former dix combinaisons.
Par exemple, avec a, b, c, d et e : abc,
abd, abe, acd, ace, ade, bcd, bce,
bde, cde.
Chaque sous-programme étant affecté
à un groupe de trois ingénieurs, deux
ingénieurs d'un sous-programme ne
pourront jamais accéder aux sous-
programmes des trois autres. Mais
chaque ingénieur pourra, en revanche,
accéder à tous les sous-programmes
pour pallier une absence.

# BONUS

## BONUS 13

Elvire A, Betty B, Viviane D et Camille E.
Si la deuxième affirmation de Viviane
est fausse, alors la note de Betty est A
ou B.
Si la première affirmation d'Elvire est
fausse, alors sa note est D, E, F, ou G.
Si la deuxième affirmation de Camille
est fausse, alors la note de Betty est E,
F ou G.
Ces trois affirmations ne pouvant être
fausses en même temps, au moins une
est donc vraie et toutes les autres sont
nécessairement fausses.
D'Elvire 2 (faux) : Camille n'a pas A
et Viviane n'a pas G.
De Betty 1 (faux) : Betty n'a pas A.
De Viviane 1 (faux) : quelqu'un a eu un
A, donc par élimination, c'est Elvire.
Elvire 1 est donc vraie et Viviane 2
et Camille 2 sont fausses.
Donc de Viviane 2 on déduit que
Betty a A ou B mais comme Elvire a
A, Betty a B.
De Camille 1, Camille a un E ou D
ou C, mais la note de Camille étant
inférieure à celle de Viviane (D, E
ou F) Camille a donc E et Viviane D.
La seule affirmation vraie est en fait
la première d'Elvire.

## BONUS 14

Si Alice avait 100 dominos, Derek en
aurait 200. D'où, Alice a plus de 100
dominos. Comme Alice donne le
quart de ses dominos à Sophia, son
nombre doit être divisible par 4.
On construit un tableau en faisant
l'hypothèse qu'Alice a successivement
104, 108, 112,… dominos. Par exemple,
si Alice a 104 dominos, Derek en
aurait 192 et Sophia 24. Comme Alice
donne le quart de ses dominos à
Sophia, on soustrait de 200 le nombre
de dominos de Sophia et on multiplie
la différence par 4. On devrait obtenir
le nombre de départ pour Alice.

Dans cette première hypothèse, Alice
aurait (200 – 24) x 4 = 704 dominos :
ce qui est différent de 104 qui est le
nombre de dominos appartenant à
Alice au départ.

| Alice | Derek | Sophia | Alice |
|-------|-------|--------|-------|
| 104 | 192 | 24 | 704 |
| 108 | 184 | 48 | 608 |
| 112 | 176 | 72 | 512 |
| 116 | 168 | 96 | 416 |
| 120 | 160 | 120 | 320 |
| 124 | 152 | 144 | 224 |
| **128** | **144** | **168** | **128** |

Le nombre de dominos appartenant
à chacun est dans la dernière ligne,
puisque à la fin, on obtient le nombre
de départ pour Alice.
Les trois amis ont donc :
128 + 144 + 168 = 440 dominos.

## BONUS 15

Puisque le mot Marjolaine contient
10 lettres, la grille est au moins de
grandeur 10 x 10. De A à X, on
compte 24 lettres. La grille fait donc
au plus  23 x 23. Comme il y a sept
cases de lettres pour une case noire,
le nombre de lignes ou de colonnes
est un multiple de 8.
La grille fait donc 16 x 16.

## BONUS 16

La section A compte au plus 16 livres (indice 1). Elle a au moins 12 livres (indice 4). On construit un tableau en donnant à A les valeurs de 12 à 16. On détermine la valeur de B et de C en fonction de A (indices 4 et 1). Voici le tableau :

| A | 12 | 13 | 14 | 15 | 16 |
|---|----|----|----|----|----|
| B | 8 | 9 | 10 | 11 | 12 |
| C | 14 | 15 | 16 | 17 | 18 |
| Total | 34 | 37 | 40 | 43 | 46 |

Les valeurs de A, de B et de C sont dans la colonne où A = 14, car Lucia possède 40 livres. E a 13 livres (indice 3). F a 12 livres (indice 2). Donc D a 15 livres.
Voici le nombre de livres par section :
A: 14, B: 10, C: 16, D: 15, E: 13, F: 12

## BONUS 17

15. Posons x le nombre d'abeilles. On obtient l'équation suivante à résoudre :
$x/5 + x/3 + 3(x/3 - x/5) + 1 = x$, car un cinquième $= x/5$, un tiers $= x/3$, et trois fois la différence des deux nombres $= 3(x/3 - x/5)$
$x/5 + x/3 + 3(x/3 - x/5) + 1 = x$
$3x/15 + 5x/15 + 3(5x/15 - 3x/15) - 15x/15 = -1$
$8x/15 + 6x/15 - 15x/15 = -1$
$-x/15 = -1$.
Le nombre d'abeilles est donc 15.

## BONUS 18

16 ou 48.
x étant le nombre de singes, on obtient :
$x - x^2/64 = 12$ ou $x^2 - 64 x + 768 = 0$
Cette équation admet deux racines positives toutes deux acceptables, qui sont 16 et 48.

## BONUS 19

Mia et Gaëlle.
Si Yvonne est coupable, cela entraîne que Miranda et par conséquent Liloo le sont aussi, or il n'y a que deux coupables. Yvonne est donc innocente. Idem pour Miranda et Liloo.
En revanche, si Mia est innocente, alors Gaëlle et Christie le sont aussi. Ce qui est impossible, car il ne peut y avoir 6 innocents, donc Mia est coupable, Gaëlle l'est aussi, parce qu'elle ment.

## BONUS 20

48 sacs de carottes. On suppose que Mireille livre trois sacs de 12 kilogrammes. Elle livre alors un sac de 9 kilogrammes et deux sacs de 6 kilogrammes. Cela fait six sacs et 57 kilogrammes. Comme la commande est de 456 kilogrammes, on cherche combien de fois on peut renouveler cette première commande. Pour cela, on divise 456 par 57, ce qui donne 8. Mireille va livrer :
3 x 8 = 24 sacs de 12 kilogrammes,
1 x 8 = 8 sacs de neuf kilogrammes
et 2 x 8 = 16 sacs de six kilogrammes,
soit 48 sacs.

**BONUS 21**

On suppose que Carmen demeure sur la 50ᵉ rue. Alors Gertrude demeurerait sur la 54ᵉ (selon Carmen). Lily demeurerait sur la 67ᵉ (selon Gertrude). La somme des numéros de rue de Carmen et de Lily serait 117. La somme des numéros de Gertrude et de Coralie serait 115 (selon Coralie). Comme Gertrude demeurerait sur la 54ᵉ, Coralie demeurerait sur la 61ᵉ rue. La somme des numéros de la rue de Lily et celle de Coralie serait 128. En réalité, cette somme est 72 (selon Lily). Elle est plus grande de 128 − 72 = 56. En divisant 56 par 2, on obtient 28. On soustrait 28 à chaque numéro de rue.
On a les résultats suivants :

Carmen : 22ᵉ rue.
Gertrude : 26ᵉ rue.
Lily : 39ᵉ rue.
Coralie : 33ᵉ rue.

**BONUS 22**

Il y a 2 hommes (6 pièces), 5 femmes (7,5 pièces) et 13 enfants (6,5 pièces). Le plus simple est de procéder par approximation :
On sait déjà que le nombre d'hommes ne peut pas être plus grand que 6, le nombre de femmes à 11 et le nombre d'enfants à 18 en raison du nombre total de pièces, vingt. On sait aussi que le nombre d'hommes est forcément plus près de 1 que de 6 et que les nombres de femmes et d'enfants doivent être pairs ou impairs ensemble pour ne pas avoir de résultat impair. Partant de là, on essaie les combinaisons possibles avec un homme, puis deux…

Imprimé en Espagne par CAYFOSA
ISBN : 978-2-501-08785-8
NUART : 4132098 / 01
Dépôt légal : juin 2013